Couverture « La sorcière et son fils »

Conseil international de la langue française

103, rue de Lille, 75007 Paris

Association internationale reconnue d'utilité publique (décret du 29/12/1972), le **CONSEIL INTERNATIONAL DE LA LANGUE FRANÇAISE** regroupe des représentants des pays d'expression française des différentes régions du monde et intervient notamment dans le domaine des sciences et des techniques.

Il a pour tâche :
- d'enrichir la langue française,
- de favoriser son rayonnement,
- d'organiser sa communication avec les autres langues,
- de promouvoir le dialogue des cultures.

L'action du CILF s'exprime, pour une grande part, à travers ses **PUBLICATIONS :**

REVUES

- **de terminologie**
  LA BANQUE DES MOTS
- **de linguistique**
  LE FRANÇAIS MODERNE

OUVRAGES

*DICTIONNAIRES, *plus de 30 titres parus,* offrant :
- une terminologie de références aux pays d'expression française,
- des outils de traduction.

Quelques titres, parmi les plus récents :
- **Dictionnaire des industries**
- **Dictionnaire de spatiologie**
- **Dictionnaire de termes nouveaux des sciences et des techniques.**

*MANUELS DE FORMATION en agronomie tropicale et en mécanique, *40 titres*
  Collection « TECHNIQUES VIVANTES »

*CONTES des pays d'Afrique, de l'Océan Indien, des Caraïbes, destinés :
- en langue française, à un large public,
- en textes bilingues, plus particulièrement aux écoles pour l'alphabétisation en langue maternelle.
  Collection « FLEUVE ET FLAMME ».

Nous dédions ce livre
à nos conteuses et conteurs :
de Bamako (Mali) :

        Amidou KEITA
        Fatoumata SYLLA
        Fanta SUKHO

du Niokholo (Sénégal) :

        Tamba CAMARA
        Tombon CAMARA
        Maadi KEITA
        Diala SADIAKHOU
        Sountou SADIAKHOU

Les titres suivis d'un astérisque ne sont plus disponibles

textes et civilisations

Images féminines dans les contes africains

(aire culturelle manding)

textes recueillis par:
Veronika Görög-Karady
Gérard Meyer

introduction et commentaires
Veronika Görög-Karady

couverture : Lucia Daniel

Publié avec le concours du ministère de la Coopération

CONSEIL INTERNATIONAL
DE LA LANGUE FRANÇAISE
103, rue de Lille - 75007 Paris

23, rue Du Sommerard - 75005 Paris **edicef**

Le Conseil international de la langue française exprime ses remerciements au Centre d'Information Missionnaire (CIM) et à « Vivant Univers » pour lui avoir permis de reproduire leurs documents photographiques.

INTRODUCTION

Dans le sillage de la controverse qu'a suscitée dans les trois dernières décennies le mouvement féministe, les études anthropologiques, sociologiques et ethno-psychologiques se multiplient pour tenter de jeter un regard non biaisé sur la place de la femme dans les divers échiquiers sociaux du monde occidental et dans des 'ailleurs' plus ou moins lointains. Ceci faisant et de façon obligée, les auteurs qui s'attaquent à ce travail concentrent leur attention sur la *relation homme-femme*, relation qui occupe un espace très marqué dans les mythologies africaines aussi.

Ainsi dans son ouvrage *Ethnologie et langage* Geneviève Calame-Griaule montre à propos des Dogons du Mali que le rapport homme-femme sert de schéma d'explication dans leur système de représentation global. Comme elle dit : «... A quelque niveau que nous considérions la culture dogon, nous retrouvons cette opposition complémentaire déterminant une conception dualiste du monde. » (Calame-Griaule, 1965).

Chez les Bambara les récits mythiques font également état de la complémentarité des principes mâles et femelles. Le couple initial est composé de Pemba, détenteur des semences et des connaissances et de Muso Koroni, figure féminine. Cette dernière refuse de coopérer à l'entreprise de la création, provoque le désordre et introduit dans le monde « le mal, le malheur et la mort ». (Dieterlen, 1951). Seule l'apparition de Faro, qui assume dans sa personne le principe mâle et femelle à la fois, permet de trouver une issue et réussit à faire admettre l'association intime des éléments des deux sexes. En instaurant le mariage, Faro introduit la complémentarité et consacre les différences. Par son acte fondateur « le dualisme sexualisé devient le paradigme de tous les dualismes selon lesquels la pensée mythique bambara interprète *l'ordo rerum* et *l'ordo hominum*... Le monde, la société et la culture qui lui donne ses moyens d'être et son sens ne peuvent résulter que des relations multiples entre éléments marqués du signe de la masculinité d'une part, et les éléments marqués du signe de la féminité d'autre part » (Balandier, 1974). Toutefois cette complémentarité se révèle fragile et peut être compromise à tout instant. Le récit mythique bambara oscille constamment entre une définition ambigue ou négative de la femme et des manifestations de la féminité. Ceci étant, l'harmonie et l'ordre ne peuvent jaillir sans le concours des éléments appartenant aux deux sexes. D'ailleurs, les attributs maléfiques de la féminité attestés chez les Bambara se retrouvent un peu partout dans le monde africain et plus particulièrement dans les cultures où le mode de pensée et les rapports sociaux fondamentaux sont instruits par le principe dualiste.

Georges Balandier, en examinant dans diverses aires culturelles de l'Afrique Noire des sociétés de types très différents, diagnostique une remarquable constance pour ce qui est de l'état de soumission imposé à la femme et ceci malgré des particularités locales.

Ce statut d'assujetties de la gente féminine s'éclaire à la lumière des recherches de Claude Lévi-Strauss sur les structures élémentaires de la parenté. Il établit, en effet, que dans les sociétés dites primitives « la femme est l'objet de l'échange matrimonial et non point un des partenaires entre lesquels l'échange s'effectue ». Et il précise ainsi cette proposition devenue classique depuis :

« Une structure de parenté, si simple soit-elle ne peut jamais être construite à partir de la famille biologique composée du père, de la mère et de leurs enfants, mais elle implique toujours, donnée au départ, une relation d'alliance. Celle-ci résulte d'un fait pratiquement universel dans les sociétés humaines : pour qu'un homme obtienne une épouse, il faut que celle-ci lui soit directement au indirectement cédée par un autre homme qui, dans les cas les plus simples, est vis-à-vis d'elle en position de père ou de frère. » (Lévi-Strauss, 1973).

La reconnaissance de cette règle de jeu fondamentale et fondatrice va de pair avec une autre, selon laquelle les origines de la société, le passage de l'état de nature à l'état de culture se confondent avec l'origine du pouvoir des hommes (des mâles). Ce sont les hommes qui matériellement et symboliquement 'créent' la société et les femmes en constituent les pièces d'échange vivantes. « Réduites ainsi à un rôle instrumental, elles sont cantonnées dans la région des choses... et servent de signes de sémiologies sociales multiples... que l'homme utilise comme la marque ou l'emblème de son statut » (Balandier, 1974).

Cet ordre des choses se traduit dans les représentations collectives, dans les visions du monde, dans l'organisation souvent sexée de l'espace villageois, dans les systèmes parentaux lignagers et claniques, dans la parole éducative diffusée au sein des classes d'âges, bref, dans toutes les instances normatives de la société. Toutefois, parallèlement au discours officiel rigide, des espaces plus ou moins larges sont aménagés pour laisser tout de même une certaine marge de liberté aux femmes. Ainsi, les femmes ont parfois des rituels qui leur sont propres et sont détentrices d'un savoir spécifique. En milieu davantage islamisé, elles restent fidèles aux croyances de la religion traditionnelle ; elles forment alors un noyau de résistance à l'islam officiel, qui se présente avant tout comme une religion d'hommes.

Ces lieux de liberté (le décalage entre la règle et la praxis) focalisent de plus en plus le regard des chercheurs, trop attachés auparavant à étudier l'idéologie normative.

Notre propos n'est toutefois pas de nourrir ici ce mouvement novateur de la recherche. Ayant pour objet la littérature orale, parole traditionnelle par excellence, nous étudions le discours stéréotypé que la société tient sur elle-même et à sa propre intention. Or les images de femmes qui se dégagent des textes oraux dans les sociétés de l'Afrique Occidentale relèvent indubitablement de la vision masculine. La main-mise des hommes sur cette 'parole forte' qu'est l'art oral est aussi manifeste que leur pouvoir exclusif dans d'autres domaines de la vie sociale. Cette ascendance masculine peut s'exprimer directement par le fait que - comme chez les Malinké - le droit de raconter se trouve pratiquement réservé aux hommes. Lors même qu'on les sollicite, les femmes s'y engagent difficilement, bien qu'elles passent pour des connaisseurs. Elles pratiquent plutôt d'autres genres littéraires, telle la chanson. Il faudrait conduire des investigations plus approfondies en milieu malinké sur les pratiques familiales de narration pour repérer éventuellement l'existence d'un répertoire narratif spécifiquement féminin.

Chez les Bambara du Mali les femmes content plus facilement, mais elles n'en reprennent pas moins à leur compte l'optique masculine dans le développement de leur discours. Cette parole se déploie dans le cadre familial et dans les canaux de la socialisation collective que représentent les sociétés initiatiques. Dans ces dernières l'on inculque aux générations montantes -souvent par le biais des divers genres littéraires- les valeurs fondamentales qu'ils devront respecter en tant qu'adultes.

Dans les sociétés patrilinéaires et virilocales les jeunes candidats à l'initiation apprendront que les destins masculins et féminins seront marqués par la loi exogamique, c'est-à-dire par le principe échangiste. Les hommes demeureront toute leur vie dans l'univers habituel de leur enfance, dans leur village et au sein de leur famille. A l'inverse les filles quitteront leur milieu d'existence au moment du mariage, qui a lieu à l'âge de quatorze-quinze ans, et passent la plus grande partie de leur vie chez les 'autres', chez ces 'étrangers' que sont les beaux-parents. Dès la petite enfance les filles sont préparées à cette séparation décisive, car on leur fait tôt comprendre dans leur famille d'origine qu'elles n'y sont qu'en 'transit'. René Luneau, ayant passé de nombreuses années chez les Bambara, résume ainsi la situation : « Etrangère dans sa propre famille- dans la mesure où elle est condamnée à s'en séparer (ses enfants seront les enfants d'une autre maison)- elle est aussi étrangère dans sa belle famille. Nulle part totalement intégrée, vivant sous la tutelle de son mari, mais prête à obéir en dernier ressort aux injonctions de ses propres frères (l'éventualité d'un divorce l'obligerait à regagner la maison familiale), il lui est difficile de s'y reconnaître... » (Luneau, 1981). Les deux loyautés opposées qu'elle devrait pouvoir réconcilier sont propres à troubler son sentiment d'identité et à fragiliser son sens de l'appartenance à l'une ou à l'autre collectivité. De plus, il lui est difficile d'établir l'harmonie entre le registre des devoirs et des alliances sociales et les attachements affectifs entre lesquels les tensions sont inscrites dans son parcours existentiel.

La femme bambara est ainsi condamnée à une sorte d'aliénation permanente qui ne saurait être atténuée que par l'intériorisation sans réserve des principes de l'idéologie contraignante à laquelle elle est constamment exposée depuis l'enfance et dont l'initiation n'est que la forme institutionnelle. Ces principes - inculqués aux filles autant qu'aux garçons - postulent que le fondement de l'individu socialisé repose sur sa participation dans un réseau de relations fait de parents consanguins et de parents par alliance, que les intérêts collectifs ont toujours la priorité sur les intérêts personnels, enfin qu'on doit un respect absolu à tous ceux qui sont consensuellement désignés comme ayant préséance en vertu de leur âge ou de leur statut dans la société. C'est dans ce contexte que les filles apprennent que leur 'départ chez les autres' constitue un acte vital pour la survie du groupe parce que c'est l'échange des femmes qui perpétue les attaches organiques entre familles : qu'elles sont 'les sentiers qui relient les villages'... Elles doivent donc accepter l'idée que dans leur existence d'épouses c'est encore la consolidation de la solidarité familiale qui représente leur tâche principale. Dans leur futur foyer elles sont appelées à faire fonction d'aiguilles, car « comme l'aiguille sert à coudre, les filles doivent servir à unir les membres des futures familles où elles seront des épouses ». (T. Diarra, 1986).

Les textes des chansons initiatiques mettent explicitement en valeur les qualités que les filles doivent acquérir et dont elles doivent se prévaloir au cours de leur existence d'adultes. Ce sont des qualités de travail, de patience et surtout d'obéissance à l'égard de leurs parents mâles. Il faut qu'elles acceptent « de rester debout toute la journée, de rester debout toute la nuit, si c'est l'époux qui le demande », (T. Diarra, 1986) ce dernier incarnant sous ce rapport le même type d'autorité que le père.

Les textes explicitent clairement cette identité des règles

d'autorité des deux mâles qui président successivement au sort de la femme :

« Lorsque ton père te parlera, tu baisseras la tête,
lorsque ton époux te parlera, tu baisseras ta tête.
Observe le silence : la femme est esclave,
c'est une fille que ta mère a mise au monde. (Luneau, 1981)

Les consignes de subordination sont au moins symboliquement compensées par l'importance accordée à la fonction maternelle. La maternité est en effet interprétée en tant qu'accomplissement du destin féminin, comme en témoigne cette poésie :

« L'enfant qu'on met au monde
L'enfant qu'on met au monde
L'enfant qu'on met au monde
est une parure.
Oui, même si tu as de l'or
aux oreilles de ta femme,
c'est l'enfant
qui est la parure de la femme. » (Luneau, 1981)

La voie royale de la reconnaissance sociale passe pour les femmes par la progéniture nombreuse : de fait, le thème de la maternité est un des sujet-forces de cette littérature qui trouve plusieurs élaborations dans l'instruction initiatique. On y relie volontiers la souffrance que les femmes doivent endurer, en tant qu'épouses mal-aimées ou maltraitées, et leur réussite dans leur rôle maternel. Ce seraient les femmes les plus malheureuses qui mettent au monde les enfants les plus beaux, « des enfants de renom, qui n'échoueront jamais dans la vie ». Est-ce une ruse masculine qui dicte cette corrélation hypothétique ? Il y a en tous cas un saisissant contraste entre les égards qui entourent les mères, sources de vie, et le regard hautain, facilement critique et maintes fois méprisant qu'on jette sur les femmes en général et sur les épouses en particulier. Comme le dicton l'affirme : « Chaque homme est entre les mains de sa mère ». C'est ainsi que la malédiction maternelle est considérée comme le comble du malheur et une croyance fortement ancrée veut que pareille malédiction ne cesse de tourmenter celui qu'elle vise jusqu'à la fin de ses jours.

Dans le discours proverbial, autre genre normatif, la différence d'appréciation relative aux deux sexes est fondée en nature. En fait il n'y a pas de proverbe sur les qualités ou les défauts des hommes en tant que tels ; il est bel et bien question des attributs des êtres humains en général ; en revanche les formulations stéréotypées sur les femmes abondent et elles sont rarement flatteuses. Voici quelques exemples : « L'esprit de la femme s'arrête à ses seins », « celui qui suit le conseil de sa femme va se noyer », « il faut se méfier de la femme et de l'eau », etc. Il est vrai que le langage change lorsque le proverbe détaille les vertus maternelles. Comme on verra, cette image contrastive entre les rôles se maintient également dans les autres genres.

Mais, parallèlement avec le message normatif, la littérature orale - et plus particulièrement le genre conte - traduit également la voix de l'imaginaire, discours qui n'est certes pas celui de l'inconscient, mais du moins, un registre de parole qui ne s'aligne pas de prime abord sur les valeurs sociales dominantes, voire qui s'y oppose. Or, dans nos textes les deux registres apparaissent concomitamment. La polysémie fondamentale de ce genre s'inscrit dans une telle densité sémantique du discours qu'on y trouve entremêlés plusieurs strates de significations. C'est donc à l'analyse que revient la tâche d'y distinguer entre le reflet des pratiques sociales, le discours normatif et les modes symboliques de reniement de ce discours.

Dans les types d'identité féminins qui se trouvent représentés dans le conte on remarque une tendance très affirmée à la polarisation, le paradigme s'organisant ici encore autour d'oppositions binaires : la femme est bonne ou mauvaise, donneuse de vie ou pourvoyeuse de mort, nourricière ou empoisonneuse. Ces différents rôles contrastés se réalisent dans des situations charnières du cycle de vie en relation avec un (des) parent(s) proche(s).

Voici un premier classement empirique des thèmes contrastifs qui structurent nos contes :
— mère bienfaisante opposée à épouse maléfique,
— mère bienfaisante (décédée, le plus souvent) opposée à méchante marâtre,

— épouse négligée mais méritante opposée à coépouse favorite envieuse et malveillante,

— vieille bienveillante opposée à vieille malveillante (sorcière).

On voit déjà dans ce tableau élémentaire que la même figure
de femme peut être porteuse de connotations opposées, po-
sitives ou négatives selon le contexte, que la distribution des
attributs n'a rien de rigide, et, partant, que l'image littéraire
des personnages féminins offre quelque chose de la complexité
même du réel. Dans cette complexité relative force est d'ores
et déjà de déceler une dualité d'effets. Le premier d'entre
eux provient comme on l'a vu des normes collectives dominantes - le discours idéologique et didactique fait par et pour
les hommes- qui rappelle sous forme de rationalisations incarnées
dans des personnages et dans les actions du récit les valeurs de
base de la société bambara-malinké. Le second d'entre eux relève
davantage des affects, de l'imaginaire ou des fantasmes.
Ce registre de la parole n'a de légitimité qu'en tant que conte,
produit symbolique admettant aussi une certaine licence par la
présentation des situations socialement inadmissibles.

Les quelque trente contes de ce volume ne peuvent offrir
plus qu'un échantillon incomplet des visages et des destins
féminins en pays bambara-malinké[1].

Comme le lecteur ne manquera pas de remarquer, exception
faite des récits d'origine, l'intrigue des contes -pareils en cela
aux contes merveilleux européens- se noue dans « le petit
monde des parents et des enfants dont l'histoire se résume
dans les grands événements qui ne sont jamais simples et nor-
maux » (Robert, 1967). On verra donc d'abord la jeune fille
dans sa propre cellule familiale aux prises avec son père, sa
mère, son frère et sa sœur, puis, la jeune femme, dans le foyer
de son époux où les relations fortes se tissent avec ce dernier,
avec les parents alliés, avec d'éventuelles coépouses et surtout
avec ses propres enfants. Les situations que les contes dévelop-
pent sont dramatiques, conflictuelles, souvent passionnelles.
Sans trouver forcément un dénouement heureux, l'issue en est
toujours 'morale'. En effet, en contraste avec le conte merveilleux européen où la fin idyllique et utopique est la loi du
genre, ces contes bambara-malinké ont davantage le souci de

---

1. Les contes présentés à l'exception de six textes sont des inédits.

donner une leçon de savoir vivre en société en punissant les personnages antisociaux. Ce qui revient à dire que les contes africains, malgré l'omniprésence du merveilleux- vécu comme partie intégrante du quotidien- sont d'inspiration plus réaliste que leurs homologues européens. En effet il faut avoir toujours à l'esprit que, contrairement au système de valeur européen, où la quête du bonheur individuel est encouragée, dans ces sociétés lignagères de l'Afrique de l'Ouest l'épanouissement de la personnalité a pour condition l'identification au groupe ; l'individu a le devoir d'apprendre - et le conte en est un outil éducatif très efficace- de renoncer à ses désirs personnels et d'adhérer à son rôle social, à la coutume, comme le disent les gens. L'attitude individualiste est considérée comme dangeureuse, destructive, et comme telle, passible de sanction.

L'originalité du genre conte est de jouer sur deux tableaux : ouvrir un espace où les pulsions antisociales inscrites dans l'homme peuvent s'exprimer, « se jouer » - il s'agit en quelque sorte d'une technique traditionnelle du psychodrame- mais, dans les séquences finales, rappeler à l'ordre, d'où le très grand nombre de récits qui présentent une transgression- réalisation d'un désir 'normalement' réprimé- et la sanction de celle-ci.

Quelques mots encore sur l'ordonnancement de ce petit livre. J'ai regroupé quelque peu artificiellement les contes menée par le désir de réunir ceux qui « se parlent », qui reprennent le même thème sous un angle légèrement différent; privilégiant à tour de rôle le point de vue de l'un ou de l'autre des protagonistes. Les chapitres ne sont pas tout à fait homogènes, le dernier n'a pas d'unité thématique mais présente divers visages de femme.

Il va de soi que j'ai sélectionné de préférence les contes où la femme était la protagoniste mais, comme je tenais à la montrer dans des rôles et sphères d'action variés, dans certains cas elle tient une seconde place (mais toujours importante). On la voit ainsi dynamique ou passive, victorieuse ou victime, sage ou indiscrète, vieille ou jeune.

Sans prétendre aucunement à l'exhaustivité, l'on peut plus modestement avancer que les tableaux de notre galerie sont authentiques, authentifiés par les nombreuses versions et variantes que l'on évoquera tout au long de cette promenade dans l'univers imaginaire bambara-malinké.

AUTREFOIS...
DEPUIS CE TEMPS...

LA CRÉATION DE L'HOMME ET DE LA FEMME

Quand Dieu créa l'homme et la femme,
il mit l'homme du côté de l'est,
il mit la femme du côté de l'ouest.
Ils se cherchèrent l'un l'autre longtemps.
C'est d'abord la femme qui aperçut l'homme au loin.
Elle s'est assise alors,
elle tourna le dos à l'homme.
L'homme s'approcha,
il saisit la femme par les épaules.
Il dit : « Depuis que Dieu m'a créé,
c'est toi que je cherche. »
La femme dit : « Depuis que Dieu m'a créée,
je ne t'ai jamais cherché. »
C'est pour cela que c'est l'homme qui trouve
la femme dans sa case.
La femme fait comme si elle n'aimait pas l'homme,
mais ce n'est pas ainsi.

Commentaire

Ce récit fondateur est générateur de l'ordre qui régira la relation entre l'homme et la femme en leur distribuant leurs rôles et qualités respectifs. La femme se montrera passive, dissimulant sa pensée et ses désirs. L'homme sera mobile, actif, affirmatif, prendra l'initiative dans la parole et dans l'action.

Le code de comportement suggéré dans ce récit est tout à fait proche de l'étiquette traditionnelle en vigueur en Europe : c'est à l'homme de faire le premier pas et à la femme de feindre la résistance soit pour montrer sa pudeur, soit pour augmenter le désir de son partenaire.

LES HOMMES ET LES FEMMES

Je vais vous raconter
l'histoire des hommes et des femmes,
au temps où ils ne vivaient pas ensemble.
Les femmes étaient dans leur propre village
et les hommes, de leur côté, étaient dans leur village.
Jusqu'au jour où un homme en fut perturbé.
Les hommes n'allaient pas chez les femmes et les femmes
n'allaient pas chez les hommes.
Les hommes en furent troublés et les femmes aussi.
Aucun n'allait chez l'autre, les femmes restaient dans
leur village et les hommes dans le leur.
Mais il y avait un petit homme qui trouva un moyen
pour permettre aux hommes et aux femmes de se rencontrer.
Il alla chercher de la bière et de l'hydromel qu'il mélangea,
il en remplit une calebasse et mit une petite cuillère dessus.
Il rejoignit le village des femmes.
Aux alentours du village, il vint s'asseoir sur la route.
Il vit une femme.
« Femme, viens ici » lui dit-il.
Et la femme s'approcha. Alors il remplit une petite calebasse
de bière qu'il offrit à la femme,
en la priant de boire.
La femme porta la calebasse à ses lèvres.
« Bois !
— Mais, qu'est-ce-que c'est ?
— Ce que je suis en train de te donner,
c'est « la boisson qui réjouit les hommes. »
— La boisson qui réjouit les hommes ?
— Oui, la boisson qui réjouit les hommes.
— Voilà ce que l'on va faire : tu vas m'en donner un peu

et je vais aller en offrir à notre chef.
Je te demande de me donner ce que je suis en train
de regarder. »
Il remplit ainsi la calebasse et la donna à la femme.
Le chef des femmes s'appelait Badònba.
La femme alla offrir une calebasse pleine de bière à
Badònba,
qui elle aussi en but et après s'adressa ainsi aux
autres femmes :
« Une femme est venue m'apporter quelque chose de très bon.
— Mais qu'est-ce-que c'est ?
— Ah, cela s'appelle « la boisson qui réjouit les hommes ».
— Eh bien, allons rejoindre les hommes.
Nous saurons ce qu'est la boisson qui réjouit les hommes. »
Alors les femmes allèrent rejoindre les hommes,
qui leur offrirent à boire, dès leur arrivée, des calebasses
pleines de bière.
Ils leur offrirent ainsi à boire.
Après, toutes les femmes se levèrent et se mirent à danser :

> *Badònba, la boisson qui réjouit les hommes !*
> *Badònba, la boisson qui réjouit les hommes !*
> *Badònba, la boisson qui réjouit les hommes !*

Elles disaient cela, tout en reprenant de la bière.
Depuis ce jour, les femmes ont pu s'approcher des hommes,
les femmes se sont unies aux hommes.
Depuis ce jour jusqu'à aujourd'hui, ni les hommes, ni les
femmes ne restent dans des villages séparés.
Quand on va dans tous les villages,
on trouve des hommes et des femmes ensemble,
les hommes sont dans les mêmes villages que les femmes.

Je laisse ce conte là où je l'ai trouvé.

Commentaire

Variante sur le thème de l'origine de la vie commune entre les hommes et les femmes, recueillie par Annik Thoyer (Cf. Contes bambara du Mali, pp. 101-103)

LE VILLAGE DES FEMMES

Voici ce que j'ai vu :
Il y avait quelque part un village
il n'y avait point d'homme, il n'y avait que des femmes.
Aucun homme ne partait là-bas,
il n'y avait là-bas que des femmes.
Les propriétaires de la place publique[1] tissaient,
elles avaient leur classe d'âge des preneuses de peau,
elles avaient leurs vieilles du village.
Un homme apprit cela, il voulait partir là-bas.
Il dit aux gens du village de l'aider
et de piler du couscous pour lui.
On pila du couscous,
pendant trois jours, on pila du couscous.
Il dit qu'il irait là où se trouve le village des femmes,
qu'il irait là-bas et les ramènerait au village.
Les gens lui dirent : « Toi seul, comment pourras-tu les ramener ? »
Il dit qu'il les ramèneraient.
Il dit : « Vous n'avez qu'à piler du couscous. »
Pendant trois jours, on pila du couscous, on le lui donna.
Il mit le couscous dans son outre.
Le couscous arriva jusqu'aux pattes de l'outre.
Il dit aux gens du village : « Vous n'avez pas travaillé ! »
Le lendemain, on pila encore du couscous, on le pila bien,
jeunes filles et femmes, toutes pilèrent.
Elles lui donnèrent le couscous,
cela arriva jusqu'au cou.

1. Les femmes de ce village étaient organisées en classes d'âge, comme les hommes. Les plus jeunes constituaient le groupe des « preneuses de peau » *(gulutaalaa)*, les adultes formaient la classe d'âge des « propriétaires de la place publique » *(bantabaatixi)* et les plus âgées sont les « vieilles du village » *(suukeebaa)*.
Chez les Malinké, hommes et femmes sont organisés en classes d'âge.

Elles lui dirent : « Patience ! Notre mil va finir ! »
Il dit qu'il partait en brousse.
Il prit un couteau, il alla trouver un forgeron
pour que celui-ci lui aiguisât son couteau.
Puis, il pénétra en brousse pour couper des bambous.
Il vit un grand bambou,
il se dit : j'en ferai ma flûte.
Il le coupa, il y perça des trous.
Lorsqu'il eut percé les trous, la flûte se mit à jouer.
Il la prit, la mit sur lui
et retourna au village.
Il arriva au village en pleine nuit.
On demanda s'il était venu.
On répondit qu'il était couché dans sa case.
Les gens allèrent le saluer :
« Hé, tu es revenu tard dans la nuit !
— Si vous voyez que je suis venu tard dans la nuit,
c'est que j'étais parti loin,
c'est après demain que je m'en irai.
— Dieu ! Tu vas partir là-bas maintenant ?
Quand tu seras parti là-bas et que l'on te tuera,
qui donc sera au courant ?
— Même si elles me tuent, cela ne me regarde pas,
quant à moi, je partirai !
— Il n'y a que des femmes dans ce village,
qui a déjà vu une chose semblable ?
— Quant à moi, je partirai !
— Bon, d'accord ! »
Il se coucha.
Dès que le jour fut levé, il se mit en route,
il partit,
il rencontra des coqs en route.
Ceux-ci l'interrogèrent : « Où vas-tu ? »
Il chanta :

> N'avez-vous pas entendu le son de ma petite flûte ?
> Flûte, au revoir et à bientôt, flûte, au revoir et à bientôt !

Il les dépassa,
il traversa toute la brousse,
il rencontra tous les animaux,

il leur chanta toujours le même chant.
Il continua sa route et rencontra un phacochère ;
celui-ci l'interrogea mais il ne lui dit rien.
Il continua sa route.
Il rencontra une hyène, celle-ci dit : « Où vas-tu ? »
Il chanta :

> *N'avez-vous pas entendu le son de ma petite flûte ?*
> *Flûte, au revoir et à bientôt, flûte, au revoir et à bientôt !*

L'hyène dit : « C'est là-bas que tu vas aller ?
Est-ce que tu arriveras ?
Elles te tueront !
Lorsque tu chanteras ce chant, elles te frapperont ! »
Il dit : « Quant à moi, je partirai ! »
Il partit.
Il rencontra les femmes qui étaient les preneuses de peau,
elles étaient en train de chercher du bois ;
il les rencontra aux abords du village.
Dès qu'elles le virent, elles se précipitèrent sur lui,
de la poussière se leva.
Celles qui tissaient sur la place publique,
dès qu'elles virent cette poussière,
dirent à d'autres d'aller voir
quel était ce bruit, pour qu'elles fussent au courant.
Celles-ci partirent là-bas,
elles dirent : « Quoi ! Vous êtes ici avec un homme ! »
Elles dirent : « Nous sommes venues à sa rencontre. »
Les autres allèrent dire aux propriétaires de la place publique
qu'elles avaient rencontré un homme.
Celles de la place dirent : « Ha, ces femmes sont folles,
elles rencontrent un homme
et elles ne nous en avisent pas ici ;
maintenant, elles ne pourront plus rentrer ici ;
qu'elles apportent d'abord trente neuf taureaux
c'est alors que l'étranger sera accueilli. »
D'autres partirent en brousse,
les unes tuèrent trois hippotragues, d'autres, des guibs harnachés
ou des céphalophes,
d'autres, des biches redunca ou des phaccochères.
Elles dirent que cela sera pour sa sauce.
Elles firent cuire tout cela, ils mangèrent.

Le lendemain, l'homme voulut partir. -
Le matin de bonne heure, il s'arrêta aux abords du village.
Dès que les femmes l'aperçurent,
elles le suivirent en courant.
Lorsqu'il fut un peu loin,
il sortit la flûte de sa sacoche et il chanta :

> *N'avez-vous pas entendu le son de ma petite flûte ?*
> *Flûte, au revoir et à bientôt, flûte, au revoir et à bientôt !*

On ne distinguait même plus l'homme au milieu des femmes,
il se dégagea, alla sur leur place publique,
il sortit la flûte et chanta :

> *N'avez-vous pas entendu le son de ma petite flûte ?*
> *Flûte, au revoir et à bientôt, flûte, au revoir et à bientôt !*

Elles entrèrent avec lui dans le village.
C'est cela qui a mis fin au village des femmes.
Sinon, autrefois, les femmes avaient leur village à part,
les hommes avaient leur village à part.

C'est cela que j'ai vu.

Commentaire

Ce conte mythique constitue une sorte de variante du précédent. Dans les deux on s'interroge sur la complémentarité des deux sexes au sens d'une relation de domination, fondée sur la supériorité d'un sexe sur l'autre.

Hommes et femmes sont dans la première séquence disjoints et l'initiative de la conjonction, de leur rencontre, relève de l'homme.

Toutefois, ici le désir féminin n'est pas camouflé ; dans le village des femmes, l'homme devient provisoirement l'objet des appétits de la gente féminine.

On remarque un contresens dans le récit, dû à la difficulté de « penser » le village sans les femmes. En effet, le conteur fait piler le couscous par les jeunes filles et par les femmes avant même qu'elles soient arrivées au village des hommes.

La séduction masculine a pour support la musique ; la flûte est un objet phallique. Cf. le conte très populaire en milieu bambara-malinké où l'homme se transforme en flûtiau pour vaincre la résistance de la jeune fille qui ne veut pas se marier. (Görög-Meyer, 1984, pp. 31-35 ; Cf. également le conte de notre volume : « La jeune fille, sa mère et le jeune homme oiseau »)

LE VILLAGE INTERDIT AUX FEMMES

Ce n'est pas aujourd'hui que le monde a été créé.
Voici ce que j'ai vu :
Un roi avait fondé un grand village.
Ce village était très grand.
La vie était agréable comme une bouillie
dans laquelle on aurait mis du miel.
Un jour, le roi fit frapper du tam-tam :
hommes et femmes se rassemblèrent.
Il leur dit : « C'est moi qui ai fondé ce village,
aucune femme ne doit venir ici.
Le jour où une femme mettra ses pieds ici,
ce jour-là on lui coupera la tête ! »
Dans un autre village, il y avait une fille.
Son père était roi.
Elle entendit parler de l'autre roi.
Elle dit à son père : « Père, je veux aller dans ce village !
— Ma fille, tu n'as pas entendu ce qu'on en dit ?
Aucune femme ne doit aller là-bas.
Si tu vas là-bas, nous tous, nous aurons honte !
— Père, je vais partir là-bas,
donne-moi un de tes chevaux,
tu as beaucoup de chevaux !
Je vais en choisir un.
— Ma fille, demain matin, tu iras dans le parc à chevaux,
tu les appeleras,
tu prendras celui qui te répondra en hennissant le premier. »
Le lendemain, quand le coq chanta,
elle alla dans le parc à chevaux.
Il y avait cent huit chevaux.
Elle appela : « Chevaux, chevaux ! »

Un vieux cheval tout maigre se mit à hennir.
Elle dit : « Que me veux-tu, vieux cheval ?
Si je pose une selle sur ton dos, il va se casser ! »
Elle mit le mors à sa bouche,
elle monta sur le cheval, son dos se cassa.
Elle retourna chez son père,
elle dit : « C'est un vieux cheval qui m'a répondu,
j'y suis montée, son dos s'est cassé. »
Le père dit encore : « Ma fille, va dans le parc,
prends le cheval qui hennira. »
Elle repartit là-bas,
elle dit : « Chevaux, chevaux ! »
C'est encore un vieux cheval qui lui répondit.
Elle y monta, puis elle partit au galop.
Elle arriva dans le village du roi.
Elle attacha son cheval.
Elle trouva les gens qui chauffaient de l'eau.
On lui dit d'aller se laver.
Or, elle s'était rasée la tête,
elle portait un pantalon, elle portait un boubou,
elle portait un bonnet.
Elle entra dans la douchière[1] ,
elle enleva son boubou,
elle enleva son pantalon.
Une vieille femme passa par là-bas,
elle jeta un coup d'œil dans la douchière,
elle regarda bien, elle aperçut une fille.
Elle partit en courant,
elle alla chez le roi et lui dit :
« N'avais-tu pas dit qu'aucune femme ne devait venir ici ?
Or, une femme est venue !
— Tu mens, grand-mère !
— Tu vas voir que c'est une femme,
demain matin, tu lui offriras un taureau.
On le tuera pour lui faire honneur.
Tu sais qu'une femme ne s'arrête jamais près d'un taureau tué !
Tu verras bien si c'est une femme. »

---

1. Petit enclos situé à l'extérieur des habitations, où l'on fait sa toilette.

Le roi fit frapper du tam-tam :
Il dit aux gens qu'il voulait donner un taureau à son hôte.
La fille entendit cela, elle alla près de son cheval.
Celui-ci hennit.
Elle demanda : « Vieux cheval, que se passe-t-il ?
— Demain, ils vont tuer un taureau en ton honneur,
quand ils l'ameneront, tu iras le prendre par les cornes
et tu le terrasseras,
sinon, on te coupera la tête !
— Bon, j'ai entendu. »
Le lendemain, on frappa du tam-tam.
Les jeunes gens amenèrent le taureau.
La fille se précipita et le prit par les cornes.
Elle le jeta à terre.
Alors le roi regarda la vieille femme.
Celle-ci dit : « C'est quand même une femme !
Si tu veux en être sûr,
grille des côtes et de la viande sans os.
Quand elle passera à côté, elle en prendra,
les femmes aiment la viande sans os ! »
La fille alla encore une fois près de son cheval.
Il hennit de nouveau.
Elle dit : « Quoi donc ?
— Ils vont griller des côtes et de la viande sans os.
Si tu en prends, ils te tueront ! »
Peu après, le roi grilla des côtes,
il grilla de la viande sans os.
Il l'appela : « Viens choisir des morceaux de viande,
car c'est pour toi que nous avons tué ce taureau !
— Roi, tu me prends donc pour un enfant ?
Est-ce qu'on grille des côtes et de la viande sans os
pour un jeune homme ? »
Le roi regarda la vieille femme.
Elle lui dit : « Je suis sérieuse,
c'est bien une femme.
N'est-ce pas demain que vous allez allumer un feu de brousse,
pour faire la chasse ?
Tout le monde ira là-bas
et, à la fin, tout le monde ira se laver dans le fleuve,
tu verras alors que c'est une femme ! »

La fille alla de nouveau près de son cheval.

Il hennit.

Elle dit : « Quoi encore ?

— Demain, tu accompagneras les gens à la chasse,
ils vont mettre le feu à la paille.

Si un animal réussit à te dépasser, tu mourras. »

Le lendemain, les gens partirent en brousse.

Ils mirent le feu à la paille.

Un guib harnaché s'en échappa.

Elle le poursuivit jusque dans un fourré.

Elle rencontra là-bas un nain[2] .

Celui-ci avait à côté de lui des paniers remplis de pénis.

Il dit à la fille : « Choisis celui qui te plaît. »

Elle en prit un, le fixa sur son corps et elle partit.

Elle retrouva les autres.

Elle attrapa encore un céphalophe.

Elle le mit sur ses épaules.

Quand la chasse fut finie, tout le monde alla au bord du fleuve.

Elle vint aussi.

Chacun enleva son pantalon,
elle entra dans l'eau.

Le roi regarda la vieille femme
puis il appela ses serviteurs : « Qu'attendez-vous encore ?

Allez lui couper la tête ! »

Ils lui coupèrent la tête.

De nos jours on rencontre encore de ces vieilles femmes qui disent
des mensonges.

Commentaire

Dans ce récit le rôle actif est le privilège de la femme qui défie le roi en
bravant son interdit. Elle est toutefois aidée par un cheval qui correspond tout à fait au cheval-fée des contes européens. Celui-ci lui sert de
conseiller et grâce à lui, elle réussit son projet.

La vieille femme prend ici le rôle stéréotypé de délatrice.

---

2. Entité de petite taille habitant en brousse. On les appelle gooto ou goote. Ils seraient
organisés en société, comme les humains.

DIEU ET LA VIEILLE FEMME

Le monde venait de commencer.
Le ciel était étendu juste au-dessus de la terre.
En levant les bras, on pouvait le toucher.
Un jour, une vieille femme était en train de piler.
Son pilon touchait le ciel.
Elle dit : « Dieu, mon Aïeul, tu ne montes pas plus haut
sinon mon pilon va te toucher ? »
Dieu dit : « Pardonne-moi, attends, je vais monter. »
Il monta, il monta très haut.
C'est pour cela que personne ne peut atteindre Dieu.

C'est la vieille femme qui a fait cela.

Commentaire

Ce bref récit mythique de la séparation de Dieu et des hommes, dont la
responsabilité incombe à la vieille femme, est largement répandu en
Afrique Occidentale.

LIENS DE SANG...
LIENS D'ALLIANCE...

L'HOMME QUI VEUT ÉPOUSER SA FILLE

Conte !
Voici l'histoire d'un homme.
Il tomba amoureux de sa propre fille.
Il voulut l'épouser.
La fille avait des hanches rondes.
Elle était très belle.
De toutes les filles du village, elle était la plus belle.
Son père tomba amoureux d'elle, il voulut l'épouser.
Il dit alors à ses épouses
d'appeler la fille coépouse.
Il dit aux frères de la fille
d'appeler celle-ci petite mère.
Il dit à ses compagnons de l'appeler petite-épouse.
Il y avait derrière le village un Grand Oiseau
qui avalait les gens.
Lorsqu'il voyait quelqu'un, il l'avalait.
La jeune fille décida alors de se donner au Grand Oiseau.
Un jour, elle prit le chemin et partit en chantant :

> *Ma mère m'appelle sa coépouse,*
> *elle m'appelle sa petite coépouse,*
> *mon grand frère m'appelle sa petite mère,*
> *mon frère cadet m'appelle sa petite mère,*
> *sa petite mère sa petite mère.*
> *Ma mère et ses coépouses m'appellent leur petite coépouse.*
> *Je vais m'offrir au Grand Oiseau,*
> *Au Grand Oiseau qui avale les gens.*

Les perles autour des hanches de la fille firent :

> *Petite fille, attends demain et calme-toi !*
> *Petite fille, attends demain et calme-toi !*

La fille continua sa marche et elle marcha, marcha, marcha.

Elle arriva près de l'Oiseau qui lui demanda :
« Qui es-tu, un être humain ou un être divin ?
— Je suis un être humain, répondit la fille.
— Pourquoi es-tu venue ici ?
— Mon père est tombé amoureux de moi.
Depuis que le monde a été créé,
on n'a jamais vu personne épouser sa propre fille.
Lorsqu'un homme vient me demander en mariage,
mon père refuse de me donner à lui.
Il dit que c'est lui qui va m'épouser.
Il dit à mes mères de m'appeler 'coépouse'.
Il demande à mes petits frères de m'appeler 'petite mère'.
Il demande à ses compagnons de m'appeler 'petite épouse'.
Grand Oiseau, je suis venue, je suis venue pour me remettre à toi,
fais de moi ce que tu veux. »
Pendant ce temps les gens du village la cherchaient :
« Oh, la belle fille est partie,
oh, la belle fille est partie, disaient-ils. »
Alors le Grand Oiseau envoya un messager.
Il fit dire aux villageois
que la jolie fille était chez lui.
« Est-elle chez le Grand Oiseau ? demandèrent les gens.
— Oui, fut la réponse du Grand Oiseau. »
Il fit dire aux villageois
que la jeune fille lui avait dit que son père voulait l'épouser.
Mais depuis que le monde, est monde
on n'a jamais vu un père épouser sa fille.
S'il arrive que l'Oiseau voit le père,
si jamais il l'attrappe...
Le père doit promettre de donner sa fille à un homme.
Dans ce cas il la laissera partir.
Mais s'il ne la donne pas à un autre homme,
s'il insiste et veut l'épouser,
lui, le Grand Oiseau va le tuer.
Voilà le message transmis au père.
« Oh villageois, dit le père,
j'avais l'intention d'épouser ma fille...
— Eh bien, le Grand Oiseau te faire dire
que si tu promets de la donner à un autre homme
il va libérer ta fille.
Mais si tu persistes à la refuser aux prétendants,

dans ce cas, il va te tuer.
— Dites-lui de la renvoyer
je vais la donner à un autre homme. »
Au retour de la fille, le père la donna
au premier homme qui la demanda en mariage.
Il la donna à cet homme.

Depuis ce temps,
même si quelqu'un a une fille aussi belle qu'une femme génie,
il n'a pas le droit de l'épouser.

Commentaire

Nous connaissons un grand nombre de contes bambara-malinké où figurent la jeune fille -souvent princesse- en âge de se marier et son père-roi.

Dans un premier ensemble la jeune fille n'est que l'enjeu d'une partie qui se joue entre son père et les prétendants. A ces derniers le roi impose une épreuve difficile, sinon impossible, comme condition du mariage :
— cultiver un champ de fonio qui n'a ni début ni fin,
— descendre des canaris posés en haut d'un fromager,
— faire tomber tous les fruits d'un baobab,
— boire une énorme quantité de bouillie,
— abattre l'arbre avec son propre sexe,
— deviner le nom de la princesse,
— accepter d'être mis à mort le jour où meurt le roi,
— etc.

Dans tous ces récits le père feint d'accepter l'idée du mariage de sa fille mais, par la nature des épreuves, il fait plus ou moins consciemment tout pour le faire échouer.

Cependant, comme on peut s'y attendre, le prétendant le plus vaillant réussit les épreuves et le père-roi est contraint à se conformer à la règle du jeu qu'il avait lui-même annoncée. Il accepte ainsi son rôle de donneur de femme.

Dans un deuxième ensemble de récits, le père ne se contente pas de dresser une barrière par sa parole (énoncé des conditions) entre sa fille et les jeunes gens, il fait monter des murs pour isoler sa fille du monde extérieur.

Face à cette rigueur paternelle, la fille adopte des attitudes variées :
— elle est complice du jeune homme astucieux qui s'introduit chez elle et qui la rend enceinte, et le récit se termine par le mariage ;
— elle se fait justicière, humilie son père en l'accusant publiquement d'être lui-même responsable de sa grossesse et le père de honte se transforme en mouche.

Enfin, dans le troisième groupe de contes -dont fait partie le nôtre- l'attitude paternelle ambivalente vis-à-vis de la fille est levée : le roi déclare ouvertement son intention de convoler avec sa fille. Mené par le désir, il introduirait l'anarchie et le désordre dans le réseau familial : sa fille deviendrait la coépouse de sa propre mère, la mère de ses frères etc. La crise qui menace, par l'effondrement des règles matrimoniales, est résolue grâce à un *deus ex machina*. La jeune fille veut se donner la mort et quitte le village. Elle rencontre dans la brousse un être surnaturel -oiseau, buffle ou autre animal selon le cas- et lui raconte ses malheurs. L'être de la brousse menace le père ; ce dernier se repent et renonce à son projet incestueux. Il existe toutefois une ou deux versions rapportées par Sory Camara, qui se terminent par la mort de la fille.

Cette transparence des désirs généralement réprimés est loin d'être présente de manière régulière dans d'autres corpus narratifs de l'Afrique de l'Ouest. Au Mali on ne le trouve par exemple ni chez les Peuls, ni chez les Dogons, populations qui ont de nombreux contacts avec les Bambara. Au Sénégal Oriental il faudra examiner systématiquement les corpus de contes des ethnies voisines (Bassari, Bedik, etc.) Seule une étude approfondie du fonctionnement des mécanismes qui régissent la censure morale dans les diverses représentations collectives, dont la littérature orale fait partie, permettra une meilleure compréhension de la spécificité culturelle de chaque ethnie sous ce rapport. Pour montrer le lien entre les contes où l'intrigue principale est la séquestration de la fille et ceux où le désir incestueux est ouvertement exprimé, citons les paroles de clôture d'une version où le jeune homme, qui finit par accéder à la princesse, s'adresse au roi : « Roi mon père, roi ma mère, même si ta fille est belle, tu ne la coucheras jamais à ton côté, tu la donneras au fils d'un autre homme. Depuis lors, aucun père ne garde sa fille pour lui. » (Görög-Meyer, 1984, p. 23)

Pour d'autres versions où le père veut ouvertement épouser sa fille, nous renvoyons le lecteur aux contes recueillis par Sory Camara (Sory Camara, 1978, vol. III, pp. 592-94, 600-601, 603 ; vol. V, pp. 1054-1075), aux contes inédits de V. Görög et aux textes de G. Meyer (Meyer, 1987, Cf. également l'étude sur la relation entre le père et sa fille, Görög-Karady, 1985, pp. 349-369). Youssouf Cissé m'a également résumé dans une communication orale une version sur ce thème : le père envoie les colas à sa fille accompagnant la demande en mariage.

LE ROI ET SON FILS SÉQUESTRÉ

Il y avait un roi qui avait un fils.
Celui-ci était très beau, il n'avait pas son pareil.
Le roi lui-même s'occupait de lui.
C'est lui qui l'avait circoncis.
Il le fit monter en haut d'une maison à étages
et il n'avait aucune relation avec les femmes.
Un jour, une jeune femme qui se promenait passa près de la maison.
Le garçon regarda en bas et la vit ;
de son côté, elle avait relevé la tête
pour voir le jeune homme.
Ils se regardèrent, ils se firent signe des mains.
Du haut de la maison à étages,
le jeune homme montra à la femme par où monter.
La jeune femme s'éloigna
mais elle revint à la tombée de la nuit.
Le jeune homme fit descendre une corde et elle monta.
Ils restèrent ensemble la nuit.
Même si on t'ordonne de ne pas approcher d'une femme
si une femme vient près de toi, que peux-tu faire ?
L'heure du chant du coq arriva, les ânes se mirent à braire :

> *Hi-han, hi-han hi !*
> *Il a passé la nuit avec une femme !*
> *Il a passé la nuit avec une femme.*
> *Nyanyé a passé la nuit avec une femme !*
> *Il a passé la nuit avec une femme !*
> *Les boucs se levèrent à leur tour :*
> *Mè mè mè mè !*
> *Il a passé la nuit avec une femme !*
> *Il a passé la nuit avec une femme !*
> *Nyanyé a passé la nuit avec une femme !*

Il a passé la nuit avec une femme !
Les coqs se levèrent :
Keke kellele keke kelele !
Il a passé la nuit avec une femme !
Il a passé la nuit avec une femme !
Nyanyé a passé la nuit avec une femme !
Il a passé la nuit avec une femme !
Les chevaux se levèrent :
Hin hin hin !
Il a passé la nuit avec une femme !
Il a passé la nuit avec une femme !
Nyanyé a passé la nuit avec une femme !
Il a passé la nuit avec une femme !

Tous les animaux étaient au courant,
tous, ils rapportèrent la nouvelle.
La matin le roi fit battre le tambour.
Il fit venir tout le monde,
il fit rassembler tout le monde.
Il fit venir Nyanyé à qui il avait interdit
d'avoir des relations avec une femme.
La jeune femme accompagna Nyanyé.
Elle dit qu'elle voulait qu'on lui coupât la tête
si la tête de Nyanyé devait être coupée.
Ils s'avancèrent ensemble tous les deux.
Le roi fit donner un grand couteau à son esclave
et lui ordonna de tuer Nyanyé.
L'esclave brandit le couteau puis il s'arrêta.
Il le brandit une seconde fois et une troisième fois
sans pouvoir tuer Nyanyé.
Alors il s'adressa au roi :

Ma main tremble, oh roi ! Ma main tremble !
La chevelure de Nyanyé est comme les fibres de chanvre
Ma main tremble !
Les sourcils de Nyanyé sont comme rasés de plaine
marécageuse,
Ma main tremble !
Le cou de Nyanyé est comme une branche de palmier
Ma main tremble !
La taille de Nyanyé est comme une pelote de fil

Ma main tremble !
Le nez de Nyanyé est comme une racine de fromager
Ma main tremble ! Ma main tremble, oh roi !
Ma main tremble !

Il s'éloigna et s'assit.
Le roi appela un autre esclave.
Celui-ci souleva le couteau mais ne put le descendre.
Il essaya encore une fois et une troisième fois
il ne réussit pas et se mit à chanter :

Ma main tremble, oh roi ! Ma main tremble,
La chevelure de Nyanyé est comme les fibres de chanvre
Ma main tremble !
Le sourcil de Nyanyé est comme rasé de plaine
Ma main tremble !
Le nez de Nyanyé est comme une racine de fromager
Ma main tremble !
Le cou de Nyanyé est comme une branche de palmier
Ma main tremble !
Ma main tremble, oh roi ! Ma main tremble.

Il se retira et le roi fit venir un autre esclave,
mais ce dernier ne réussit pas non plus.
Toutes les personnes présentes essayèrent
mais pas une ne put tuer Nyanyé.
Alors le roi se leva : « Laissez-moi passer, dit-il,
vous êtes tous des gens sans courage. »
Il se saisit du grand couteau,
il voulut le descendre mais il ne put pas.
Il essaya une seconde et une troisième fois
mais il ne réussit pas.
Il s'arrêta et se tourna vers la foule :

Ma main tremble, oh foule,
Ma main tremble,
Ma main tremble, oh foule !
Ma main tremble.
La chevelure de Nyanyé est comme les fibres de chanvre
Ma main tremble,
Les yeux de Nyanyé sont comme rasés de plaine
Ma main tremble !

Le nez de Nyanyé est comme une racine de fromager
Ma main tremble.
Le cou de Nyanyé est comme une branche de palmier
Ma main tremble,
La taille de Nyanyé est comme une pelote de fils
Ma main tremble,
Ma main tremble, oh foule !
Oh foule, ma main tremble !

Le roi dit alors aux gens de partir,
il congédia la foule.
Seuls restèrent Nyanyé et la jeune femme.
Elle était assis près de Nyanyé.
Le roi libéra alors son fils et la jeune femme,
on maria la jeune femme avec Nyanyé.
Elle devint son épouse.

Depuis ce jour,
un père ne dit plus à son fils dans ce monde
qu'il ne doit pas prendre femme, qu'il ne doit pas se marier.

Commentaire

Le personnage féminin de ce conte rompt avec l'attitude habituelle des jeunes soumises : elle ose transgresser l'ordre du roi, de même qu'elle s'offre à la mort pour accompagner son amoureux. Le père est ici encore abusif et la loi qu'il veut imposer est injuste au sens où elle transgresse la loi universelle, selon laquelle la vie doit continuer par l'accès des jeunes gens à la sexualité et au mariage.

Ce conte n'apparaît pas souvent dans le corpus bambara-malinké. En revanche, une variante sur ce thème est rencontrée plus fréquemment : le roi ordonne à ses fils de ne pas toucher à une femme, tout en les laissant en liberté (Cf. Görög-Diarra, « La lance du père », 1979, pp. 15-17)

Dans d'autres versions, dont l'une est bambara (inédite), recueillie par V. Görög et l'autre malinké, recueillie par G. Meyer, le père abusif trouvera la punition dans la mort.

A propos de la jeune femme dévouée à son mari au point d'être tuée avec lui, cf. également un conte rapporté par M. Travele, 1923, pp. 169-174)

LA MÈRE AMOUREUSE DE SON FILS

Bien, c'est arrivé à une femme.
Elle a accouché, elle a accouché
jusqu'à son dernier fils.
Ce dernier était beau, il était beau
elle en est devenue amoureuse au point
de vouloir faire avec lui comme on fait avec un homme.
Le temps passa.
Elle l'a marié, lui a donné une femme.
Nous autres, les Bambara, autrefois, nous partions boire le *dolo*[1].
La nuit, lorsque les gens allaient au *dolo*
son fils, lui aussi partait au *dolo*
jusqu'à ce qu'il fût saoûl.
La mère ne savait pas comment faire,
elle ne le savait pas
jusqu'au jour où son fils a pris une femme.
Comme le fils avait l'habitude d'aller boire du *dolo*,
sa mère dit à son épouse
qu'elle vienne se coucher près d'elle
avant que son mari ne revienne du *dolo*,
parce que, si elle part se coucher toute seule
elle peut avoir peur.
Bon, la femme du fils est partie se coucher près de sa belle-mère.
Elle s'est endormie.
Alors, la mère s'est levée et est partie dans la case de son fils.
Quand elle est allée se coucher là-bas
son fils revenait du *dolo*.
Il est entré et l'a trouvée là-bas.
Elle était devenue aux yeux du fils
comme si elle était sa femme,
elle était devenue aux yeux du fils
comme si elle était sa femme.

1. Bière de mil.

38

Mais ce n'était pas sa femme.

Sa mère a trompé sa femme.

Quand cette femme était endormie, elle s'est levée
et elle est partie se coucher sur le lit du fils.

Bon, lui-même est venu
il ne savait pas que ce n'était pas sa femme
il ne savait pas que c'était sa mère
jusqu'au moment où il eut fini son travail.

La mère lui dit : « Toujours, j'étais près de toi,
tu refusais mais aujourd'hui je t'ai eu. »

Le fils dit : « Mère, c'est toi qui es ici ? »

Elle dit : « Oui ! »

Il répéta : « Mère, c'est toi qui est ici ? »

Elle dit : « Oui. »

Bon, le fils est resté là.

Il a pris son couteau et s'est coupé la tête cette nuit
et sa mère est restée assise sur son lit
jusqu'à ce que le jour se levât.

Sa belle-fille dormit jusqu'au lever du jour.

Elle la réveilla et lui dit :

« Tu ne pars pas, tu ne pars pas
ton mari est venu, va regarder ton mari ! »

La femme de son fils est partie et est entré dans la maison
elle a ouvert la porte seulement
le sang de son mari était près de la porte
elle s'est précipitée et a pris le cadavre de son mari,
elle dit : « Mère, ne viens-tu pas ici, mère, ne viens-tu pas ici
parce que ton fils refuse de se réveiller ? »

Elle dit à la fille :

« Celui qui prend du *dolo* refuse de se réveiller,
c'est parce qu'il est rassasié,
celui qui prend du *dolo* refuse de se réveiller... »

Elle ne voulut pas venir.

La femme du fils a appelé le père.

Elle dit :

« Père, ne viens-tu pas ici, père, ne viens-tu pas ici
parce que ton fils refuse de se réveiller. »

Le père lui répondit :

« Celui qui prend du *dolo* refuse de se réveiller
c'est parce qu'il est rassasié,

celui qui prend du *dolo* refuse de se réveiller... »
Le père n'est pas venu.
Le petit-frère du mari était là-bas aussi.
Elle dit :
«Mon mari*,tu ne viens pas ici, mon mari, ne viens-tu pas ici
parce que ton grand-frère refuse de se réveiller ? »
Le petit frère est allé
il a vu que son grand-frère s'était suicidé avec un couteau.
Il s'est précipité et a interrogé sa mère.
Celle-ci dit : « C'est vrai
moi-même, je l'ai tué cette nuit
parce que, depuis qu'il était un petit garçon je le voulais,
mais il refusait.
Mais cette nuit j'ai trompé sa femme :
pendant que sa femme était couchée chez moi ici et dormait,
je suis partie à son insu,
j'ai passé la nuit là-bas. »
Le petit-frère dit : « Tu as tué mon grand-frère,
comme tu as tué mon grand-frère,
tu ne t'en tireras pas.
Comme tu as tué mon grand-frère,
tu ne t'en tireras pas. »
Le petit-frère a tué la mère sur ce fait.
C'est pourquoi, quelle que soit la beauté de ton enfant
même si il est beau comme un génie
ne l'aime pas.**

Là où j'ai pris ce conte, je le laisse là-bas.

* L'épouse désigne ainsi conformément aux règles, le frère cadet de son époux.
** Sous-entendu : Ne fais pas l'amour avec lui.

Commentaire

Ce conte est unique dans le répertoire bambara-malinké. En effet, si le
désir incestueux du père s'exprime assez souvent, même sans ambages,

l'attraction amoureuse de la mère n'est guère formulée de manière explicite. La mère amoureuse assume son acte face au fils aîné, objet de son désir, de même que face au fils cadet. Suicide et mort violente sont la seule issue de cette attitude inacceptable et le cadet matricide fait figure de justicier.

LA JEUNE FILLE
QUE SA MÈRE GARDE DANS LA BROUSSE

Voici ce que j'ai vu :
C'était une fille qui était belle,
c'était en brousse qu'elle vivait.
C'est sa mère qui voulait l'élever dans la brousse.
Quand elle faisait le repas, elle venait,
elle chantait :

> *Viens descendre ma charge, Sérou, viens descendre ma charge !*
> *Enfant gâté,*
> *viens descendre ma charge, mon enfant !*

On entendait alors la voix de la fille,
elle chantait :

> *Viens me regarder, ma mère,*
> *ne prononce pas mon nom à haute voix,*
> *que les animaux de la brousse ne l'entendent pas !*

Quel était ce chant ?
C'étaient ses perles qui faisaient :

> *Jenkuyenben, jenjenkuyenben*[1] *!*
> *Jenkuyenben, jenjenkuyenhen !*

Un jour la fille lui dit : « Mère,
ce que tu vas faire, tu m'emmènes au village ;
si tu ne me ramènes pas au village,
un animal me dévorera un jour. »
La mère dit : « Tu resteras ici ! »
C'était toujours ainsi.
Lorsqu'elle avait préparé le repas le matin de bonne heure,
elle partait, elle venait chanter :

> *Viens descendre ma charge, Sérou, viens descendre ma charge !*

1. Idéophones qui imitent la ceinture de perles que la jeune fille porte autour
de sa taille.

Enfant gâté,
viens descendre ma charge, mon enfant.

La fille chantait :

Viens me regarder, ma mère,
ne prononce pas mon nom à haute voix,
que les animaux de la brousse ne l'entendent pas !
Jenkuyenben, jenjenkuyenben !
Jenkuyenben, jenjenkuyenben !

Un jour Hyène arriva et chanta :

Viens descendre ma charge, Sérou, viens descendre ma charge !
Enfant gâté.

Personne ne répondit, il chanta encore :

Viens descendre ma charge, Sérou, viens descendre ma charge !

Personne ne répondit, Hyène s'en retourna.
Puis la mère vint, elle chanta :

Viens descendre ma charge, Sérou, viens descendre ma charge !
Enfant gâté,
viens descendre ma charge, mon enfant !

La fille chanta :

Viens me regarder, ma mère,
ne prononce pas mon nom à haute voix,
que les animaux de la brousse ne l'entendent pas !
Jenkuyenben, jenjenkuyenben !
Jenkuyenben, jenjenkuyenben !

Alors, elle prit le repas et dit .
« Mère, il y a quelqu'un qui m'a parlé ici aujourd'hui,
ce n'était pas toi ! »
La mère dit : « Quoi ? Mais tu resteras quand même ici ! »
C'était toujours ainsi.
Hyène alla arranger sa bouche, fit bien tailler sa bouche.
Le forgeron lui dit : « Si tu trouves un os sur la route,
ne le mange pas,
si tu vois une peau, ne la mange pas.
— Non, je ne le ferai pas dit Hyène, et s'en alla. »
Il vit un os, et passa, en vit un autre, il passa,
il en vit un autre encore et dit : « Dieu ! Cela ne gâtera rien ! »

Il mangea, en vit un autre encore, il le saisit et le mangea aussi.
Sa bouche fut tout abîmée.
Il vint et chanta :

Viens descendre ma charge, Sérou, viens descendre ma charge !

Personne ne répondit, il chanta encore :

Viens descendre ma charge, Sérou, viens descendre ma charge !

Personne ne répondit.
C'était à cause des os qu'il avait mangés.
Il repartit et la mère arriva et chanta :

Viens descendre ma charge, Sérou, viens descendre ma charge !
Enfant gâté,
viens descendre ma charge, mon enfant !

La fille répondit :

Viens me regarder, ma mère,
ne prononce pas mon nom à haute voix,
que les animaux de la brousse ne l'entendent pas !
Jenkuyenben, jenjenkuyenben !
Jenkuyenben, jenjenkuyenben !

Elle mangea le riz, la mère repartit.
Hyène revint le lendemain, il vint avant la mère,
il avait bien fait arranger sa bouche et chanta :

Viens descendre ma charge, Sérou, viens descendre ma charge !
Enfant gâté,
viens descendre ma charge, mon enfant !

La fille ne la reconnut pas, elle croyait que c'était sa mère,
elle lui répondit :

Viens me regarder, ma mère,
ne prononce pas mon nom à haute voix,
que les animaux de la brousse ne l'entendent pas.
Jenkuyenben, jenjenkuyenben !
Jenkuyenben, jenjenkuyenben !

Dès que la fille arriva, Hyène se mit à crier et lui prit les seins.
La fille s'arrêta et se mit à trembler.
Hyène voulut courir.
Hyène se mit à courir comme d'ici à Tambacounda[2] ,

2. Tambacounda est une ville située à plus de deux cent kilomètres du village du conteur.

La fille aussi se mit à courir.

Hyène revint et la fille s'arrêta net.

Hyène dit : « Hé, ce n'est pas ici que je t'avais laissée !

— C'est bien ici que tu m'avais laissée !

— Non, ce n'est pas ici que je t'avais laissée !

— Quand tu étais partie, où se trouvait la lune ?

— La lune se trouvait à la même place !

— Où était mon ombre ?

— Ton ombre était à la même place !

C'est vrai, tu ne mens jamais. »

Hyène se remit à courir, il courut longtemps.

La fille aussi courut, ils se rencontrèrent à nouveau.

La fille s'arrêta.

Hyène dit : « Hé, enfant, ce n'est pas ici que je t'avais laissée !

— Patience ! C'est bien ici que tu m'avais laissée !

La lune était à la même place, mon ombre était à la même place.

— C'est vrai, tu ne mens jamais ;

moi, je vais encore courir un peu. »

Il courut longtemps, la fille aussi courut.

Alors qu'elle entrait dans la maison, Hyène arriva également

et la saisit par le pied.

Dès qu'il l'eut attrapée,

la fille dit : « Ce n'est pas moi que tu as attrapée,

c'est le bois de la clôture. »

Hyène lâcha le pied de la fille et saisit le bois de la clôture.

La fille s'échappa et rentra dans la case.

Alors la mère arriva.

« Ma mère, il y a un gros chien couché ici,

si tu me donnes à lui, je l'aimerai. »

C'est cela qui a mis fin à cela.

Sinon, il y aurait des gens, si leur leur fille était belle,

ils élèveraient leur fille en brousse.

C'est cela qui a mis fin à cela.

Là où j'ai pris ce conte, là je le remets.

Commentaire

Nous disposons de nombreuses versions de ce conte dont le thème principal est la sollicitude excessive ou la possessivité de la mère à l'égard de sa fille. Il s'agit du pendant du récit la « Fille séquestrée » que nous avons évoqué dans le commentaire du conte n° 5. Son trop grand attachement est diversement motivé selon les versions et le dénouement diverge en fonction de cette motivation : la jeune fille mûre accédera à la vie conjugale ou, au contraire, la rétention maternelle aura des conséquences tragiques : la « fille séquestrée » trouvera la mort.

On peut rattacher à ce type de récit un autre ensemble où la possessivité de la mère prend une forme plus ouverte et brutale. En effet, ce conte, où une mère veut manger tout homme qui courtisera sa fille, est connu partout dans les zones de peuplement bambara-malinké. (Cf. Monteil, 1977, pp. 386-391 et 392-397 ; Görög-Meyer, 1984, pp. 106-112 et l'étude de D. Paulme, 1976, pp. 242-276)

LA SOEUR QUI VEUT SE MARIER
AVEC SON GRAND FRÈRE

Conte !
Autrefois il y avait une jeune fille.
Elle s'éprit de son grand frère,
elle voulait être son épouse.
Mais le grand frère ne voulut pas l'épouser.
Lorsque le repas était prêt
on demandait à la fille d'aller chercher son frère.
Elle partait, l'appela,
mais le grand frère ne venait pas.
Tout le monde mangeait sauf lui.
Le grand frère maigrissait.
Il était fâché, il était irrité.
Un jour, le grand frère prit la main de sa cadette et dit :
« Si Dieu le veut, aujourd'hui tu vas m'appeler par mon nom ! »
Ils s'en allèrent.
Arrivés au bord du fleuve
ils entrèrent dans l'eau.
Leur mère vint alors et dit :

> *Oh Buakun ! Où amènes-tu Kuan ?*
> *Buakun, toi qui as de l'or,*
> *où amènes-tu Kuan ?*
> *Buakun, toi qui as de l'argent,*
> *où amènes-tu Kuan ?*

« Dis à Kuan de m'appeler par mon nom !
— Ee, Unhun ! Laisse ma main, Unhun ! fit la sœur. »
Ils arrivèrent au milieu de l'eau,
l'eau arriva au genou de la fille.
Le père vint il s'adressa à son fils :

> *Oh Buakun ! Où amènes-tu Kuan ?*

> *Buakun, toi qui as de l'or,*
> *où amènes-tu Kuan ?*
> *Buakun, toi qui as de l'argent,*
> *où amènes-tu Kuan ?*

« Dis à Kuan de m'appeler par mon nom !
— Ee, Unhun ! Laisse ma main, Unhun ! »
Ils avancèrent, l'eau arriva à la ceinture de la jeune fille.
Leurs frères cadets arrivèrent :

> *Oh Buakun ! Où amènes-tu Kuan ?*
> *Buakun, toi qui as de l'or,*
> *Où amènes-tu Kuan ?*
> *Buakun, toi qui as de l'argent,*
> *où amènes-tu Kuan ?*

« Dites à Kuan de m'appeler par mon nom !
— Ee Unhun ! Laisse ma main, Unhun ! »
L'eau leur arriva à la bouche.
Les grands frères arrivèrent puis repartirent sans succès.
Les compagnons arrivèrent.
L'eau leur entra dans la bouche.

> *Oh Buakun de grâce !*
> *Où amènes-tu Kuan ?*
> *Buakun toi qui as de l'or,*
> *Toi qui as de l'argent,*
> *où amènes-tu Kuan ?*

« Dites à Kuan de m'appeler par mon nom ! »
Et la sœur de dire :
« Oh Buakun, lâche ma main ! »

Depuis ce jour personne n'a plus dit à son frère de l'épouser.

Là où j'ai pris le conte, là je le remets.

Commentaire

La petite sœur qui veut épouser son grand frère, le grand frère qui veut épouser sa petite sœur, ces thèmes apparaissent avec une belle fréquence dans l'univers du conte malinké -et selon l'état du corpus -un peu mo: ns souvent chez les Bambara.

Dans les différentes versions du premier conte, tel que le nôtre, on trouve le même unique dénouement : l'étape des désirs incestueux est dépassée, le grand frère oblige par menace ou par astuce sa cadette à être raisonnable. A l'opposé, lorsque l'initiative du projet de mariage inacceptable revient au grand frère, l'aboutissement est tragique dans un certain nombre de cas : frère et sœur descendent main dans la main au fleuve, s'y plongent et se métamorphosent en animaux aquatiques. La leçon est limpide comme l'eau... Cette fin suggère également que l'attachement entre frère et sœur est réciproque. Lorsque l'assiduité du frère ne trouve pas de réponse chez la sœur, on voit la sœur malheureuse et honteuse au point de quitter le monde villageois. Toutefois son sort s'arrange, elle trouvera un mari et deviendra mère. Avec son enfant elle retourne au village et la réconciliation entre frère et sœur peut avoir lieu. (Cf. l'étude « l'Arbre justicier », Görög-Karady, 1970)

L'attachement frère-sœur trouve des expressions tout à fait romantiques dans une version rapportée par Sory Camara : les deux amoureux se transforment en arbre et liane après leur mort volontaire. Dans une autre version plus étonnante car utopique, et allant à l'encontre de la morale sociale, le frère amoureux meurt, puis il est ressuscité et s'en va avec sa sœur au delà du fleuve pour l'épouser. (Cf. Sory Camara vol. V. 1978, pp. 928-37, 1104-19 et 994-998) Meyer, 1987, pp. 121-122 ; Deglaire-Meyer, 1976, pp. 29-32)

LE LION, SA FEMME ET SA BELLE-MÈRE

Conte...
Je vais parler d'un lion.
Il tomba amoureux d'une jeune fille du village.
Il l'épousa.
La jeune fille s'appelait Matola.
Le mariage fait, le lion l'emena dans la brousse.
Chaque jour le lion partait à la chasse,
il tuait du gibier
et offrait la viande à son épouse.
Elle mangeait beaucoup de gibier
et remplissait les greniers
avec de la viande fumée.
Un jour, la coépouse de sa mère se para,
pour venir lui rendre visite.
A son arrivée, Matola s'écria :
« Oh, tu viens me rendre visite !
Ne savais-tu pas que mon époux est un lion ?
— Si, je le savais mais j'avais la nostalgie de toi
je suis donc venue.
— Eh bien, n'aie surtout pas peur,
je vais te cacher. »
Le lion rentra de la chasse.
« Matola, on sent l'odeur d'un être humain ici.
— Non, il n'y a pas l'odeur d'un humain !
Veux-tu peut être me manger ?
— Non je ne veux pas te manger...
C'est l'odeur d'un autre être humain qu'on peut sentir...
— Oui, la coépouse de la mère est venue me rendre visite ;
elle est avec moi dans la maison.
— Dis-lui de sortir, je vais la saluer,
puis, je dois partir. »

Matola fit sortir la coépouse de sa mère.

Le lion la salua et dit :

« Matola, le jour de son départ tu lui donneras une mesure d'or,
tu lui donneras beaucoup de viande boucanée. »

La coépouse de la mère de Matola repartit.

Lorsque la mère de Matola vit les richesses
elle devint jalouse.

Elle se para, elle décida d'aller voir sa fille.

Elle partit.

Arrivée chez sa fille celle-ci la cacha.

Son beau fils rentra.

« Oh, je sens l'odeur d'un être humain !

— Oh non, il n'y a personne ici !

— Si un être humain est ici ! »

Elle fit sortir sa mère.

Le lion la salua.

« Au moment de son départ
tu lui donneras une mesure d'or,
tu lui donneras de la viande boucanée,
elle s'en ira ainsi. »

Sur le chemin de retour
la mère rencontra le lion bloti
en train de guetter le gibier au bord d'une rivière.

Salut, oh beau-fils à la chair rouge !

Le lion répondit à son salut.

« Salut, oh beau-fils à la chair rouge,
répéta la mère.

— Va-t-en, répondit le lion, tu risques d'effrayer le gibier.

Si jamais je ne trouve pas de gibier
que va faire Matola,
elle doit toujours manger de la viande !

Si tu ne poursuis pas ton chemin je vais te tuer
et j'offrirai ta chair à ta fille.

Elle doit toujours manger de la viande. »

La mère ne crut pas son beau-fils,
et continua encore :

« Salut, oh beau-fils à la chair rouge. »

Alors le lion se jeta sur elle,
la tua, l'écorcha et mit sa chair dans sa peau.

Il rentra.

« Matola, voici de la viande ! »

Matola s'approcha :

« Oh, quelle sorte de viande

as-tu apporté aujourd'hui ?

— C'est de la viande comme d'habitude, dit-il.

— Oh, c'est la chair de ma mère !

— A son passage ta mère m'a salué,

je lui ai dit de continuer son chemin

elle ne voulait pas

je l'ai alors tuée, je l'ai apportée,

tu dois manger de la viande.

— A partir d'aujourd'hui nous ne sommes plus mariés !

Tuer ma mère !

Aujourd'hui même, notre union est terminée ;

je retourne chez moi ! »

Le lion ne la contredit pas.

Il lui dit de prendre de l'or,

afin que leur fils ne manque de rien.

Il lui donna beaucoup de viande boucanée.

Elle prit le chemin de retour.

Au milieu du chemin son fils se mit à pleurer.

Elle pensait qu'il avait soif.

Elle avait une gourde pleine de l'eau,

elle en versa un peu pour lui :

« Voici de l'eau, bois !

Depuis le jour où ton père m'a épousée

il ne m'a pas fait mal un seul jour !

Mais tuer ma mère !

Je ne saurais supporter cela !

Voici de l'eau, bois encore ! »

Elle lui donna de l'eau et en but également.

Le lion les épiait, il s'approchait d'elle.

« Oh, Matola, ce que tu viens de dire

à cause de cela, je vais t'épargner.

J'avais l'intention de te tuer

comme j'ai tué ta mère

mais tu as reconnu mes bienfaits

j'en suis beaucoup touché.

Oui, une personne humaine et
un animal de la brousse ne sauraient s'aimer.
Retourne donc au village,
Mon fils sera le lion du village,
moi, je serai le lion de la brousse.

Là où j'ai pris ce conte, là je le remets.

Commentaire

Ce conte fait également partie du grand ensemble qui présente le mariage entre un être de la brousse, surnaturel ou animal, et une fille du village. Toutefois ici il n'est pas question de la désapprobation familiale, de l'irrégularité ou de l'absence des prestations matrimoniales, le mariage est accepté par la famille.

L'union est féconde et le couple vit en harmonie. Au lieu d'être sauveur c'est la parente de sang -la mère- qui sème ici le trouble et détruit le mariage. On peut se poser des questions sur la nature peut-être sexuelle de la provocation que la belle-mère lance à son gendre... On sait que dans la réalité les relations entre belle-mère et gendre sont d'une extrême réserve. Le dénouement du récit rejoint pour partie celui de « La fille qui veut épouser un homme sans cicatrice » : l'union des êtres appartenant à des sociétés par trop éloignées n'est pas viable.

Ce conte, qui existe également dans d'autres ethnies, reçoit un sens particulier chez les Bambara-Malinké. Il renvoie à une étiologie relative à l'origine du clan des Diarra ou des Keita et à l'interdit alimentaire qui leur est propre ; ils ne doivent pas consommer de la chair de lion. En dehors de notre conte, nous connaissons une autre version bambara (Cf. Mamby Sidibé, 1982, vol. II, pp. 84-90) et deux autres versions malinké (Cf. Guillot, 1933, p. 57 et Meyer, 1987, pp. 71-75)

A propos de la relation entre la belle-mère et son gendre et de l'attitude maternelle envers le mariage, évoquons un ensemble de contes apparentés. La protagoniste mère-sorcière tente d'abord d'empêcher le mariage de sa fille en la séquestrant ; comme les jeunes gens réussissent à se rencontrer et veulent s'enfuir, elle attentera à la vie du gendre. Son entreprise échoue mais la mère vaincue ne meurt pas. On se rappelle que dans l'autre cas de figure, quand la belle-mère sorcière s'emploie à tuer sa belle-fille, son fils la mettra à mort. (Cf. Görög-Karady - Meyer, 1984, pp. 49-55). Nous renvoyons le lecteur pour plus de détails et pour d'autres versions à l'étude intitulée « L'arbre justicier » (Görög-Karady, 1970, pp. 23-62)

LA SORCIÈRE ET SON FILS

Voici l'histoire d'une sorcière.
Quand elle mettait un enfant au monde, elle le mangeait.
Elle eut un premier fils, elle le mangea.
Elle eut un second fils, elle le mangea aussi.
Quand elle eut son septième fils
elle voulut le manger aussi, mais cette fois,
elle ne réussit pas.
Le septième fils lui dit :
« Mère, sois patiente, laisse-moi grandir un peu,
attends que je sois circoncis, j'aurai plus de chair,
et tu pourras t'en rassasier. »
Le fils s'appelait Mamari.
Sa mère lui répondit : « Mamari, tu as raison,
je vais t'épargner. »
Le jour de la circoncision arriva, et Mamari fut circoncis.
A son retour chez lui, sa mère voulut le manger.
Mamari lui dit alors : « Mère, si tu me trouves une épouse
tu pourras nous manger tous les deux.
— Oui, cela est vrai, je vais te chercher une épouse. »
Les années passèrent, Mamari arriva à l'âge de se marier,
et sa mère lui trouva une épouse.
Quand elle vint pour les manger, Mamari lui dit :
« Mère, fais tout pour me trouver un étalon,
tu assouviras mieux ta faim avec ma chair,
celle de ma femme et celle du cheval réunies.
— Tu as raison, dit la mère. »
Elle parcourut tout le village.
Elle chercha le plus bel étalon pour l'offrir à son fils.
Une année passa.
La mère revint de nouveau, elle voulut les manger.
« Patiente encore, mère, cherche-moi une vache, dit Mamari,

tu assouviras mieux ta faim,
si tu as également de la chair de vache.
Tu auras la chair de la vache et la mienne,
celle de mon épouse et celle de l'étalon.
— Oh, fit-elle, je t'ai donné un cheval,
je t'ai donné une épouse, comme tu me l'as demandé,
maintenant je vais te manger.
— Mère, fais ce que je te demande.
— Bien, je vais te chercher une vache. »
Elle partit chercher la plus grasse vache du village,
celle qui donnait le plus de lait,
celle qui avait beaucoup de petits,
elle partit chercher cette vache et l'offrit à son fils.
Une année passa.
De nouveau elle revint, et dit qu'elle voulait les manger.
Son fils lui dit de patienter, mais elle refusa.
Lorsque la nuit tomba,
sans attendre que sa mère revînt pour les manger
le fils monta sur son cheval,
fit monter son épouse derrière lui,
mit une corde dans le nez de la vache, et prit la route.
Ils partirent.
La mère vint, entra dans la maison, ils n'y étaient plus.
Elle mit ses atouts de sorcière
elle se para, et s'éleva dans les airs.
Lorsqu'elle poursuivait quelqu'un, c'était dans les airs.
Elle partit à la recherche de son fils et elle chanta :

> *J'ai donné une épouse à Mamari*
> *Mamari m'a dit : mère, patiente !*
> *J'ai donné un cheval à Mamari*
> *Mamari m'a dit : mère, patiente !*

Sur son chemin Mamari, rencontra un éléphant.
Il se confia à lui. L'éléphant dit :
« Oh, continue ton chemin,
personne ne peut venir à bout de cette sorcière.
Oui, poursuis ton chemin, elle veut nous tuer tous. »
A peine Mamari fut-il parti que sa mère arriva :
« Mon fils vient de te quitter...
— Oui, il vient de partir, il poursuit sa route. »

Mamari continuait son chemin sa mère le poursuivait,
elle continuait son vol et elle chantait :

> *J'ai donné une épouse à Mamari*
> *Mamari m'a dit : mère, patiente !*
> *J'ai donné un cheval à Mamari*
> *Mamari m'a dit : mère, patiente !*

Mamari rencontra un lion, mais le lion ne put le protéger,
il rencontra une panthère, mais elle ne put le protéger.
Il poursuivait sa route, il ne savait que faire,
sa mère était sur ses traces, elle chantait toujours :

> *J'ai donné une épouse à Mamari*
> *Mamari m'a dit : mère, patiente !*
> *J'ai donné un cheval à Mamari*
> *Mamari m'a dit : mère, patiente !*

Mamari rencontra un bouc.
Il se confia à lui, et poursuivit son chemin.
La sorcière aperçut son fils, elle descendit.
Le bouc s'attaqua à la mère, il l'avala.
La sorcière avait beaucoup de pouvoir ;
elle sortit par le derrière du bouc et avala celui-ci.
Le bouc avait lui aussi beaucoup de pouvoir,
il sortit par le derrière de la sorcière.
Tout en luttant ils traversèrent six forêts.
Dans la septième forêt, c'est là que la sorcière fut vaincue.
Le bouc l'attrapa et l'avala.
Il la réduisit en poudre.
Il répandit la poudre dans le fleuve qui prit flamme.
C'était la fin de la mère sorcière.
Son fils eut la vie sauve de même que son épouse et la vache.

Là où j'ai pris le conte, là je le remets.

Commentaire

Le conte, mettant en scène le personnage de la mère sorcière cannibale
qui prend l'initiative de l'hostilité à l'égard de son fils ou/et l'épouse
du dernier, est connu dans de nombreuses versions en milieu bambara-
malinké. (Cf. Görög-Karady, étude sous presse) Nous en avons d'ores et
déjà inventorié une dizaine. Il n'a pas été cependant relevé dans le répertoire de plusieurs ethnies voisines avec lesquelles les Bambara et

Malinké entretiennent pourtant des contacts réguliers (Peuls, Dogons). La question se pose à propos de cette absence : peut-on l'interpréter comme une forme de la censure sociale frappant un sujet considéré comme iconoclaste, au même titre que, par exemple, l'inceste qui apparaît souvent dans les contes de notre recueil.

L'agressivité orale de la mère sorcière, dirigé contre son fils autant que contre ses belles-filles, renvoie à l'image de la mère abusive qui refuse d'admettre la séparation nécessaire entre « l'enfanté et l'enfanteuse » et s'oppose, en l'occurence, à la sexualité indépendante du premier en éliminant ses partenaires. Selon Geneviève Calame-Griaule « le thème de la dévoration par la mère... offre une interprétation évidente : la mère ogresse, c'est la mère abusive, dans tous les sens du mot, soit qu'elle 'mange' sexuellement son fils, et c'est alors une figuration imaginaire de l'inceste (avec l'accent mis sur la responsabilité de la mère), soit qu'elle le 'mange' au sens affectif en l'aimant trop et en le réintégrant dans son sein, ce qui est la plus sûre façon de l'empêcher de lui échapper en devenant adulte en se mariant ». Pour ce qui est du « motif de la dévoration des femmes du fils par sa mère, sa signification est claire : elle veut le garder pour elle et supprimer ses 'rivales'. On peut même penser que cette incorporation au sens propre des dites rivales est une façon pour la mère de se rajeunir et de prendre la place de l'épouse auprès de son fils ». (Calame-Griaule, 1987, pp. 85-119)

Dans certaines versions il est également question des 'sociétés' de sorciers où les victimes sont fournies à tour de rôle par chacun des membres. Les victimes sont le plus souvent les propres enfants des sorcières.

La relation mangeur/mangé sous une forme inversée, le fils voulant manger la mère, se retrouve également dans l'univers du conte bambara-malinké. Nous en connaissons deux versions bambara.(Equilbecq, 1972, pp. 252-255 et Görög-Meyer, 1984, pp. 133-136). Dans ces récits les protagonistes ne sont jamais des humains mais des animaux. Hyène et Lièvre figurent deux attitudes possibles. Hyène est le mauvais fils et Lièvre son contraire. Dans certaines versions l'intention dévoratrice est présentée sous une forme atténuée : ils ne veulent pas tuer mais seulement vendre leur mère. (Pour l'interprétation de ces récits, cf. les études de T. Beidelman, 1972, pp. 164-173 et de G. Calame-Griaule, 1987, pp. 61-83)

Si dans les contes dont la protagoniste est sorcière l'attachement maternel est excessif, dans d'autres contes la mère manque à ses devoirs et abandonne son nouveau-né qu'elle craint (Equilbecq, «N'Dar ou l'enfant né avec des dents» (Equilbecq, 1972, pp. 261-263). Le fils, une fois adulte, pardonne à sa mère et la garde près de lui, « mais il lui a fait mettre les fers aux pieds ». Dans un conte inédit recueilli par G. Meyer, une femme veut tuer son fils, mais ce dernier réussit à la tromper et la mère se transforme en python. Cette représentation fortement conflictuelle de la relation mère-fils fait contraste avec la réalité. De façon générale le fils éprouve un très grand attachement pour sa mère et cet attachement n'est pas remis en cause par le mariage. Il pourra même être source de tensions car le fils-mari prendra régulièrement le parti de sa mère contre ses épouses.

Rappelons ici le terme *badenya* (parents liés du côté maternel dont les fils et les filles d'une même mère) constituent le pôle de solidarité dans la société en contraste avec le *fadenya* (liens par le père) et renvoyant aux rapports conflictuels.

Signalons enfin que Sory Camara a recueilli des contes sur le thème du fils séquestré par sa mère (Cf. Sory Camara, 1978, pp. 477-478 et 79-80) ; il cite également un récit où c'est le garçon qui pose des conditions à son mariage : il ne veut se marier qu'avec la fille qui devine la matière dont sa culotte est faite (pp. 446-447)

SIRIMAN LE CHASSEUR ET SA MÈRE

Je raconterai l'histoire d'un chasseur.
Ce chasseur exterminait les animaux.
Alors qu'il était encore *bilakoro*,
en allant à la chasse aux margouillats avec les autres *bilakoro*,
ceux-ci en tuaient cinq.
A lui seul, il en tuait dix.
Il en fut ainsi pendant tout le temps qu'il était *bilakoro*.
Il prit son fusil, partit dans la brousse
et tua les animaux. Cette tuerie leur fit mal.
Les animaux dirent : « Attendez que nous attrapions ce chasseur,
si nous le voyons, il faudra trouver le moyen de le tuer. »
Le lièvre, qui est plus malin que tous les autres animaux
de la brousse, dit : « Ce n'est pas la peine,
vous transformerez un animal,
vous le transformerez en une belle femme,
et vous la donnerez au chasseur. »
Le lièvre continua : « Quand un homme voit une belle femme,
il n'arrive pas à dormir.
On l'aura par ce biais,
sinon on ne l'aura pas. »
L'homme se nommait Kariba,
mais à force de tuer les animaux
on changea son nom, on l'appela Siriman.
Dieu voulut qu'il retournât à la maison,
il avait tué deux buffles et deux antilopes.
Il rentra chez lui...
Il y avait là une antilope.
Le lièvre dit : « Transformez-la en jeune fille,
donnez-la à Siriman
afin que nous l'attrapions. »
Ils la transformèrent en jeune fille.

1. Garçon non circoncis.

60

Elle alla dans la maison de Siriman.

Elle n'y trouva pas Siriman.

Elle alla chez le chef de village.

Le chef de village lui dit :

« Sois la bienvenue. Siriman se trouve en brousse.

Si tu es bonne, tu seras des nôtres.

Si tu n'es pas bonne, nous renoncerons à toi.

Si Dieu le veut, je te confierai à la mère de Siriman
jusqu'à ce qu'il revienne. »

Le chef de village appela la mère et lui confia la femme.

Siriman rentra.

En rentrant, Siriman tua deux grandes antilopes
et un koba et rentra chez lui.

Lorsqu'il arriva, sa mère lui dit : « Tu as une femme
mais elle ne me plaît pas ;

J'ai peur de cette femme.

En effet, j'ai interrogé ta femme sur ce qu'elle mange.

Elle dit ne rien aimer, si ce n'est du crapaud et de l'herbe...

La nourriture humaine ne peut se composer de crapauds et d'herbes,
voilà pourquoi j'en ai peur. »

Siriman répondit : « Ce n'est pas grave, mère,
à chacun sa nourriture.

Et si elle s'installe ici,
elle s'habituera à notre nourriture. »

La fille s'installa là.

Une semaine et sept jours passèrent.

La jeune fille voulut retourner chez elle.

Le septième jour, elle dit à la mère :

« Aujourd'hui, je rentre chez moi. »

La mère lui répondit : « Tu rentres chez toi... »

A ce moment, Siriman dit :

« Dis-moi quelle est la chose que tu aimes le plus au monde.

Lorsque tu auras passé ici quinze jours,
je t'accompagnerai chez ton père et ta mère. »

Elle répondit : « D'accord » et ajouta qu'elle ne désirait rien
pendant ces quinze jours si ce n'était les chiens.

Quand aux chiens de Siriman, ils sont bien...

Siriman tua tous ses chiens, les cuisina
et les donna à sa femme.

Elle les mangea tous.

Les vieilles femmes sont rusées.
La mère ramassa tous les os,
les mit dans un récipient et les y enferma.
Bon. Allah fit qu'elle allait partir le lendemain.
Cette nuit, elle s'adressa à Siriman : « Cher homme,
lorsque je suis arrivée chez toi, ta chasse aux animaux
dépassait les bornes. »
Elle reprit : « Quand tu chasses un animal,
en quoi te transformes-tu ?
— Quand j'attaque un animal et si je sais qu'il va m'attraper,
je me transforme en souche d'arbre. »
Elle insista : « Après cela, en quoi d'autre te transformes-tu ?
— Je me transforme en herbe
et les animaux passent sur moi. »
Elle redemanda : « Après cela, en quoi d'autre encore ?
— Si je les attaque et les manque,
et que je sais que je ne vais pas leur échapper,
je me transforme en margouillat
et monte dans un grand arbre. »
Elle dit : « Bon, j'ai compris, aujourd'hui je rentre chez moi. »
La mère dit : « Vas-y, je te ferai raccompagner par un *bilakoro*.
Au cas où tu reviendrais, Siriman te raccompagnera chez toi. »
La fille répondit : « Non, je ne peux pas me séparer de Siriman. »
Elle se prépara à partir avec Siriman.
Siriman dit : « Mère, il n'y a pas de mal,
je vais l'accompagner.
Si j'y vais moi-même, cela me fera une promenade en brousse. »
Sa femme dit : « Maintenant tu prends ton fusil, vas-tu me tuer ?
— Non, je ne te tuerai pas. »
Il laissa le fusil.
Elle continua : « Tu prends ton couteau, vas-tu me tuer ?
— Non, je ne te tuerai pas. »
Il laissa le couteau.
Elle reprit : « Maintenant tu prends ta hachette,
vas-tu me tuer ?
— Non, je ne te tuerai pas,
je la laisse là. »
Il suivit la femme les mains vides.
Ils marchèrent et arrivèrent dans une brousse.

Elle demanda : « Connais-tu cet endroit ?
— J'ai tué ici des antilopes, répondit l'homme. »
Après cela ils repartirent.
Elle demanda : « Connais-tu cet endroit ?
— J'ai tué ici des éléphants, répondit-il. »
Après cela ils repartirent.
Elle demanda : « Connais-tu cet endroit ?
— Ici c'est l'endroit où je tue les buffles. »
Après cela ils repartirent.
Ils arrivèrent dans la brousse sans limite, sans fin.
Elle demanda : « Connais-tu cet endroit ?
— Cet endroit, je ne le connais pas, répondit-il.
— Bon, notre maison est ici.
Reste là, je vais faire mes besoins. »
Elle se déchargea et posa ses affaires.
Elle entra dans la brousse.
Siriman n'entendant rien,
la fille mit sa main sur la tête et cria :

> *Eh animaux de la brousse !*
> *Venez tous, j'ai ici Siriman en personne !*
> *Eh animaux de la brousse !*
> *Venez tous, j'ai ici Siriman en personne !*

Les animaux se précipitèrent sur Siriman.
Toute la brousse se remplit d'animaux.
Alors qu'ils se préparaient à l'attaquer,
Siriman se transforma en termitière.
On dit : « Hé, il a disparu ! »
La fille dit : « Soufflez sur la termitière, il s'y trouve,
il me l'a dit lui-même. »
Ils soufflèrent dessus, se rapprochèrent de lui.
Il courut et se transforma en herbe.
On dit : « Il a disparu. »
La fille dit : « Non, soufflez dessus,
il a dit qu'il se transformerait en herbe. »
Ils arrivèrent au brin d'herbe qui s'enfuya.
Elle dit : « Soufflez dessus. »
On dit : « Il a disparu ! »
Elle dit encore : « S'il a disparu, il s'est transformé
en souche d'arbre,

attrapez-le, il est devenu la souche. »
Ils soufflèrent sur la souche.
Siriman se transforma et se fit margouillat.
On dit : « Il a disparu ! »
Elle poursuivit : « Cherchez-le bien, il a dit qu'il se transformerait
en margouillat. »
Ils ne trouvèrent pas Siriman.
La jeune fille dit : « Regardez l'arbre. »
Un grand arbre se trouvait à la porte de la maison,
il y avait grimpé.
Elle dit : « Le margouillat que voici est Siriman.
Phacochère et buffle, abattez ce cailcédrat,
descendez-en Siriman,
qu'il tombe à terre
et nous l'attraperons.
Ils nous a fait souffrir,
il nous a fait souffrir. »
Le lièvre dit qu'ils devaient abattre l'arbre avec leur dents.
Ils étaient sur le point de l'abattre
et de le faire tomber.
La mère de Siriman prit la hache et sortit de la maison
pour aller chercher du bois.
Dès qu'elle fut sortie,
elle vit son fils en haut d'un arbre.
Bon, la chanson que chantait Siriman, vous allez la chanter pour moi.
Siriman chantait :

> *Hum bouche-noire yo !*
> *Hum les animaux vont me tuer aujourd'hui !*
> *Hum mon pied-rouge yo !*
> *Hum les animaux vont me tuer aujourd'hui !*
> *Hum les animaux vont me tuer aujourd'hui !*
> *Hum mes mères yo !*
> *Hum les animaux vont me tuer aujourd'hui !*

La mère sortit sa hache.
Elle dit : « C'est la voix de mon fils. »
Elle continua : « Mon fils est aux prises avec les animaux. »
Le peu de bois qu'elle avait ramassé,
elle alla vite en faire du feu.

Elle ramassa les os des chiens et les mit au feu
dans une marmite.
Elle ramassa les os des chiens et les mit au feu.
L'eau bouillit.
Tous les chiens se sont ranimés et se dressèrent.
Elle dit : « Bon, votre maître est aux prises avec les animaux
de la brousse,
venez, allons-y. »
Elle quitta la maison avec les chiens.
Dès qu'ils arrivèrent à la porte, Siriman chanta :

> *Hum bouche-noire yo !*
> *Hum les animaux vont me tuer aujourd'hui !*
> *Hum pied-rouge yo !*
> *Hum Kabajan yo !*
> *Hum les animaux vont me tuer aujourd'hui !*
> *Hum mes mères yo !*
> *Hum les animaux vont me tuer aujourd'hui !*

La mère dit : « Bien, voici la voix de votre maître,
allez par là. »
Les chiens se pressèrent, ils avancèrent.
Ils allèrent arriver sous l'arbre.
Au moment où l'arbre allait tomber,
Siriman vit la tête des chiens et cria :

> *Hum bouche-noire yo !*
> *Hum les animaux vont me tuer aujourd'hui !*
> *Hum pied-rouge yo !*
> *Hum les animaux vont me tuer aujourd'hui !*
> *Hum Kabajan yo !*
> *Hum les animaux vont me tuer aujourd'hui !*
> *Hum mes mères yo !*
> *Hum les animaux vont me tuer aujourd'hui !*

Les chiens se précipitèrent sur les animaux.
Ceux qu'ils ont tués, ils les ont tués,
ceux qu'ils ont laissés vivre, ils les ont laissés vivre.
Ils descendirent Siriman.
ils le descendirent de l'arbre.
Voilà pourquoi, depuis ce jour,
tu ne dois pas te disputer avec ta mère.

Si Siriman n'avait pas tout révélé,
les animaux ne l'auraient pas chassé.

Je remets ce conte où je l'ai trouvé.

Commentaire

Le conflit initial oppose le règne animal aux hommes, représentés par le chasseur. Celui-ci se rend coupable du non respect du contrat qui lie les deux règnes, village et brousse. Si le chasseur peut légitimement tuer des animaux en observant scrupuleusement le rituel de son activité, il ne doit jamais abuser de ses forces et dépasser les limites prescrites car cela menacerait la survie des espèces. Par son méfait, le chasseur déclenche une série d'actions toutes connotées par l'inversion : c'est un être de la brousse qui vient dans le village avec le but caché de traquer le chasseur. Il s'agit d'une animale femelle métamorphosée en une femme. Celle-ci utilise comme arme ses charmes et son adversaire tombe dans le guet-apens préparé. Cette fonction maléfique de la fille -buffle séductrice correspond aux représentations courantes données de la femme en milieu bambara-malinké. La femme inspire la peur, la méfiance. Elle est un être de la nature face aux hommes qui sont, eux, associés à la culture et au monde social. La femme-animal répond aussi à l'image de la femme d'origine par trop lointaine, dont la famille est inconnue dans la parenté du futur mari, et face à qui il vaut mieux garder une franche méfiance... La sagesse veut qu'on choisisse l'épouse dans des villages et dans des familles avec lesquels les relations remontent à plusieurs généra-tions. De toutes façons même dans les meilleures conditions, la femme reste une « étrangère » dans la famille du mari où l'on affiche une at-titude pleine de réserve à son égard. L'homme trop confiant envers une femme inconnue se met en position vulnérable. Il oublie le dicton : « La femme est dangeureuse et destructrice ».
Une autre faute commise par le chasseur est l'oubli de l'interdit concernant les secrets de la chasse. L'image plus que précaire que le conte offre de la relation homme-femme fait contraste avec la solidité des liens qui unissent la mère et le fils. La mère met en garde son fils contre le danger,

le dote d'objets protecteurs et reste vigilante face au danger de la séduction féminine. Le récit oppose avec force les deux femmes : l'une donneuse de vie, l'autre donneuse de mort.

On pourrait dire que ce conte est un *récit d'apprentissage* destiné aux jeunes gens en âge de se marier. Ceux-ci doivent être prévenus : comme les rapports avec le monde animal, les relations avec les femmes doivent être nouées selon les règles que la société leur propose. Le conte proclame la supériorité des liens que les hommes entretiennent avec leur mère, parente consanguine par excellence, sur les relations matrimoniales, source potentielle de périls.

FRÈRE ET SŒUR DANS LA BROUSSE

Voici mon conte.
C'est l'histoire d'une sœur et d'un frère.
Leur père mourut, leur mère mourut ils restèrent seuls.
Les villageois les chassèrent du village,
ils disaient qu'ils étaient des sorciers.
Ils quittèrent le village avec leur troupeau,
ils se réfugièrent dans la brousse et ils s'y installèrent.
Quand le frère partait en brousse avec le troupeau
sa sœur restait dans la case.
A son retour le frère chantait :

> *Je suis de retour avec le troupeau,*
> *avec les chèvres, avec les vaches.*
> *Je suis de retour ! ***

La sœur sortait avec la nourriture et avec de l'eau,
le grand frère mangeait.
Quand il était rassasié elle lui donnait à boire.
Elle donnait de l'eau au troupeau également.
Lorsque tous les animaux étaient abreuvés,
le frère repartait avec le troupeau et
la sœur restait dans la maison.
Un jour un chasseur les vit et s'en fut raconter au roi :
« Roi, dit-il, une jeune fille se trouve dans la brousse,
si tu ne l'épouses pas, ta royauté ne sera jamais complète. »
Le roi fit venir tous les villageois et demanda
qui était capable de lui ramener la jeune fille.
Hyène se proposa, il dit qu'il pouvait la ramener.
Hyène partit dans la brousse.

* En raison d'une défection de l'enregistrement une moitié de la chanson manque.

Il s'arrêta à la porte de la jeune fille et chanta :

Je suis de retour avec le troupeau,
avec les chèvres, les vaches.
Je suis de retour !

La jeune fille dit :
« Oh, Hyène, tu ferais mieux de t'en aller !
Ta voix n'est pas pareille à celle de mon frère. »
Hyène s'éloigna et son frère rentra.
Elle dit à son frère :
« Grand frère, Hyène est venu aujourd'hui,
il s'est mis à imiter ta voix
dans l'intention de m'attraper et me dévorer. »
Frère et sœur se mirent à pleurer,
ils pleurèrent longtemps.
« Oh, petite sœur, un jour je rentrerai
et je ne te retrouverai pas, dit le frère. »
Il repartit pour faire paître le troupeau.
Hyène fit changer sa voix et revint
à la porte de la jeune fille et chanta.
Aussitôt la jeune fille sortit et Hyène se rua sur elle.
Il la saisit et l'amena au roi.
Le roi épousa la jeune fille
et bientôt ils eurent une petite fille.
Le temps passa.
Un jour les esclaves de la femme du roi
se préparaient à blanchir le linge
et se rendirent au puits ou ils avaient l'habitude
de puiser de l'eau.
L'épouse préférée du roi n'y alla pas
seules les esclaves partirent
et la fille du roi les accompagna.
Un homme arriva au puits,
il demanda de l'eau à boire.
Les esclaves refusèrent :
« Nous ne pouvons pas te donner
la jolie calebasse de notre reine
pour que tu la portes à ta bouche sale. »
Alors l'enfant prit sa petite calebasse.
Elle puisa de l'eau et l'offrit à l'homme.

Il but de l'eau et dit :
« Eh bien ma fille, je vais chanter pour toi
et de retour à la maison tu chanteras ma chanson. »
La petite fille rentra.
Elle s'assit dans la poussière elle joua et chanta :

> *Je suis de retour avec le troupeau,*
> *avec les chèvres, avec les vaches.*
> *Je suis de retour !*

Sa mère se précipita sur elle :
« Oh, ma fille, où est-ce-que tu as entendu cette chanson ?
— Eh bien dit-elle, un homme est venu aujourd'hui,
un homme fou est venu au puits,
tous les esclaves ont refusé de lui donner à boire
alors moi, je lui ai offert de l'eau.
Après avoir bu, il a chanté pour moi
et m'a demandé de chanter sa chanson à la maison.
— Va m'appeler les esclaves, dit la mère. »
Les esclaves arrivèrent.
« Allez dire à mon mari
que j'ai l'intention d'aller au puits aujourd'hui. »
Le roi lui fit demander par les esclaves
si depuis le temps que Hyène la lui avait offerte
elle s'était rendue une seule fois au puits,
depuis que Hyène l'avait amenée chez lui.
Elle fit répondre au roi par les esclaves
qu'elle voulait se rendre au puits.
Le roi lui fit demander encore
si depuis le temps où Hyène la lui avait amenée
elle était aller puiser de l'eau même une seule fois.
Elle fit dire par les esclaves au roi
que son frère est au puits
et qu'elle a l'intention d'y aller.
« Voilà tu parles clairement, dit le roi. »
La jeune femme partit à la rencontre de son frère.
Elle s'élança vers lui et ils se mirent à pleurer.
Elle envoya des messagers, elle fit dire au roi
que son frère se trouvait au puits.
Le roi envoya des serviteurs, on lui rasa la tête,
on l'habilla d'un pantalon neuf,

d'une chemise neuve on le para.
On étendit une bande d'étoffe neuve du puits jusqu'au village.
Il se mit à marcher dessus.
La moitié de la ville lui fut offerte.
Il demanda alors :
« Où sont mes vaches, mes moutons, mes chèvres ? »
On lui offrit le bétail, et tout ce qu'il demanda.
Il devint le maître de la moitié du village.

Là où j'ai pris ce conte, là je le remets.

Commentaire

Ce conte montre le mariage comme une forme particulière de la communication sociale. On peut le rapprocher sous certain rapport à d'autres récits où c'est le père qui soustrait sa fille au marché matrimonial. Ensemble avec trois autres versions ils présentent quatre modèles de cette communication allant des formes sauvages vers les formes plus « civilisées »... En effet si, dans chaque version, l'isolement dans la brousse, la vie en cellule consanguine fermée est condamnée, car il traduit le refus du principe de l'échange, le dénouement varie lors même que dans chaque cas, il y a disjonction entre frère et sœur. Dans le premier cas de figure le mariage par rapt réussit et le frère ne survit pas à cette séparation. Dans le second cas, le frère revient à la vie après une séparation prolongée, il retrouve sa sœur par la médiation de l'enfant issu du mariage forcé. Le père de l'enfant régularise l'alliance en s'acquittant des prestations matrimoniales qu'il versera à son beau-frère. Dans une troisième version le prétendant-roi accepte l'échange de manière « civilisée » et offre une femme en contre-partie de la sœur au futur beau-frère. Enfin dans un dernier cas, le prétendant-roi offre des compensations symboliques en échange : colas et paroles de louanges. (Pour plus de détail, cf. l'étude « Conte et mariage... » Görög-Karady, 1985, pp. 349-369)

MARI ET FEMME OU LA PANTHÈRE ET L'ÉTOILE

Voici ce que j'ai vu.
Une femme tomba enceinte,
elle dit à son mari qu'elle n'accoucherait nulle par ailleurs
que sur une peau de panthère.
Le mari fit tout, il réussit à tuer une panthère,
il conserva la peau de cette panthère tuée.
Le jour où la femme fut prise de douleurs, il sortit cette peau,
la femme accoucha sur cette peau.
Lorsqu'elle eut accouché, que fit le mari ?
Il grimpa sur les feuilles d'un rônier
et s'y arrangea un endroit pour se coucher.
Il dit qu'il ne pourrait pas descendre
tant que sa femme ne lui aurait pas préparé un repas d'étoile[1] .
Comme elle avait dit qu'elle n'accoucherait
que sur une peau de panthère,
il ne descendra pas du rônier
tant que sa femme ne lui aura pas fait un repas d'étoile.
Quand elle avait préparé le repas et qu'elle arrivait,
le mari regardait d'en haut
et voyait de quel repas il s'agissait.
Il ne lui parlait même pas.
Lorsqu'elle venait, elle chantait :

> *Voici ton repas !*
> *Un repas de quoi ?*
> *Un repas de riz !*
> *Retourne au village avec ce riz !*

La femme rentrait au village en pleurant.
C'était toujours ainsi.

---

1. Le mari, à son tour, met sa femme à l'épreuve en lui demandant ce repas extraordinaire comme elle-même lui avait demandé d'aller tuer une panthère.

Un jour l'araignée[2] passa par là.
Elle lui dit : « Pourquoi pleures-tu ici ? »
En effet, lorsque la femme reprenait ses esprits,
elle détachait son enfant et l'allaitait,
elle pensait au père
et se mettait à pleurer.
Elle ne savait pas comment elle allait se procurer
ce repas d'étoile.
Or, si elle ne le fait pas, le père ne descendra pas.
Son enfant et elle-même, ils ne sont que tous les deux,
que peuvent-ils faire l'un pour l'autre ?
En pensant ainsi, elle pleurait.
Donc l'araignée lui dit « Pourquoi pleures-tu ?
— Mon mari est en haut,
je dois lui préparer un repas d'étoile.
Si tu vois qu'il fait cela,
c'est que je lui avais dit que je n'accoucherais
que sur une peau de panthère,
alors, il a tué une panthère.
J'ai accouché sur cette peau de panthère,
le voilà en haut.
Tant que je ne lui aurai pas fait un repas d'étoile,
il ne descendra pas.
— C'est ce que tu as semé qui a poussé !
C'est comme tu t'étais comporté à son égard,
qu'il se comporte à ton égard,
mais s'il n'y avait pas la manière d'être des gens
de maintenant, je t'aiderais !
— Dieu ! Cela ne se fera pas !
— Moi, je t'aiderai !
— Bon !
Elle prépara encore le repas ce jour,
elle l'apporta ce jour-là,
elle chanta :

> *Voici ton repas !*
> *Un repas de quoi ?*

2. L'araignée intervient très rarement dans les contes malinké. Elle est ici l'intermédiaire entre le ciel et la terre. C'est un animal très fréquent dans les contes des pays de forêt.

Un repas de riz !
Retourne au village avec ce riz !

Elle repartit en pleurant.
Elle allait se reposer
quand l'araignée lui apporta une étoile.
Elle lui dit : « Quand tu pileras le riz,
tu mettras l'étoile dans le mortier,
tu ne la frapperas pas violemment.
Si tu la frappes violemment, elle remontera. »
La femme dit : « Quoi ? »
Elle dit : « Oui ! »
La femme prit l'étoile,
elle la mit dans quelque chose,
elle mit cette chose dans une autre chose,
elle la garda.
Le lendemain, elle prépara le riz.
Elle se disait : « Hé, est-ce possible ? »
Dans sa hâte, elle mit l'étoile dans le mortier,
elle la frappa, l'étoile partit.
La femme se jeta par terre[3],
comment vais-je faire cela ?
Ce n'est pas cela que l'araignée m'avait dit !
L'étoile remonta.
La femme se mit à pleurer,
elle vint chanter :

Voici ton repas !
Un repas de quoi ?
Un repas de mil rouge !
Retourne au village avec ce repas !

Elle s'en retourna en pleurant.
L'araignée vint et dit : « Est-ce que cela s'est fait ?
— Patiente, tu me l'avais bien dit
mais j'étais pressée !
— Oui, en voici une autre !
— Si tu m'aides encore avec celle-là,
quand je l'emporterai, je ferai attention. »
Le lendemain, elle prépara du riz,
avant que le matin ne se fut levé,

3. C'est un geste de désespoir.

elle avait mis cette étoile dans quelque chose,
elle avait mis cette chose dans une autre chose,
elle acheva de préparer le riz.
Lorsqu'elle eut fini,
elle prit le pilon dans une main,
elle prit l'étoile dans l'autre main,
elle la posa au fond du mortier,
puis elle y posa le pilon.
Alors elle enleva sa main de l'étoile
et la frappa très doucement
jusqu'à ce qu'elle fût réduite en poudre.
Quand l'étoile fut ainsi réduite en poudre, elle approcha
la calebasse de riz,
répandit l'étoile dessus et le riz devint tout brillant.
Elle se dit : « Aujourd'hui, tu vas descendre ! »
Elle se dit encore : « Est-ce possible ? »
Elle vint, elle chanta :

> *Voici ton repas !*
> *Un repas de quoi ?*
> *Un repas d'étoile !*
> *Fais le descendre !*

Elle le fit descendre.
Alors le mari descendit.
C'est cela qui a mis fin à cela,
sinon, tu verrais que mari et femme
se querelleraient jusqu'à présent :
« Tant que tu n'auras pas fait cela, je ne ferai pas cela ! »
Si l'un a fait cela, l'autre aussi devra faire ce que le premier dira,
sinon, ils ne pourront pas s'entendre.

C'est cela que j'ai vu.

Commentaire

La femme enceinte capricieuse, faisant exécuter avec son époux des
tâches dangeureuses ou impossibles, figure avec une forte récurrence
dans certains répertoires de contes africains comme chez les *Mongo* (Zaïre)

ou chez les *Limba* (Sierra Leone). Chez les Bambara je n'ai pas retrouvé ce thème. Toutefois Gérard Meyer en a collecté quelques cinq versions malinké.

Le message du conte s'adresse aux futurs pères et mères de famille : le mariage est chose difficile, il faut être raisonnable et ne pas compromettre le destin du couple par des exigences excessives.

LA FEMME QUI A FAIT RESPECTER SON MARI

Voici ce que j'ai vu.
Il y avait un homme dans un village.
On ne l'aimait pas ;
même quand il allait à la réunion des hommes,
on l'importunait.
Sa femme eut honte de cela, elle eut très honte,
elle ne savait que faire.
Un jour, elle lui dit : « Sarahaa,
sais-tu ce que nous allons faire ?
— Non, je ne sais pas !
— Moi, je vais te tirer de là ;
tu vas faire comme si tu partais,
comme si tu allais passer l'hivernage quelque part. »
Elle dit cela à son mari.
Celui-ci se prépara.
La femme lui pila du couscous pour la route.
Il prit ses affaires, il sortit le soir
mais il revint sur ses pas
et alla se cacher derrière la clôture.
Peu de temps après, l'imam vint chez la femme.
Or cette femme était belle,
elle était plus jolie qu'une femme-génie.
L'imam lui remit dix mille francs
en disant : « C'est chez toi que je suis venu !
— Bon ! Mais attends que j'aille te chercher de l'eau
pour que tu te laves ! »
Pendant ce temps, le mari avait coupé des baguettes
et s'était caché dans la douchière.
Alors l'imam enleva son pantalon,
il enleva son boubou,

il enleva son bonnet.
Il posa tout cela dans la case.
Il alla dans la douchière pour se laver ;
quand il s'aspergea d'eau
le mari le frappa avec les baguettes.
L'imam avait les yeux remplis d'eau,
il prit la fuite
et sauta par dessus la clôture.
Il laissa tous ses habits là-bas.
Il s'en alla chez lui,
il se dit : « Quelque chose vient de m'arriver ! »
C'est à cela qu'il pensait dans sa case.
Puis, le chef du village vint aussi.
Il avait pris de l'or
il s'était préparé,
il avait dix mille francs dans sa proche.
Il dit à la femme : « Je suis venu chez toi pour bavarder !
— Bon ! Mais attends que j'aille chercher de l'eau
pour que tu te laves dans la douchière. »
Elle alla chercher de l'eau
et la posa dans la douchière.
Puis elle vint se prosterner devant lui
en lui prenant les genoux ;
elle lui dit : « Ton eau est dans la douchière. »
Il se déshabilla dans la case
et alla se laver ;
il mit par deux fois de l'eau sur lui ;
alors le mari le frappa ;
il s'essuya les yeux et prit la direction de la clôture.
La femme ramassa leurs habits
et les mit dans son panier.
Puis le responsable des jeunes du village se prépara aussi,
il mit des souliers,
il mit des chaussettes et un beau pantalon.
Il se mit un chapeau et prit un mouchoir dans la main.
Il prit avec lui cent francs.
Il entra et salua la femme ;
elle le salua aussi.
Il dit : « C'est chez toi que je viens pour bavarder !
— D'accord ! C'est à toi que je pensais !

— Quoi ?

— Oui ! Mais attends que je cherche de l'eau ;
tu iras te laver,
alors la conversation sera bonne. »
Elle alla chercher de l'eau.
Elle lui dit : ton eau est là-bas.
Alors son âme devint paisible,
et il se déshabilla dans la case ;
il alla dans la douchière pour se laver ;
il se mit de l'eau par deux fois ;
alors le mari le frappa ;
il se retourna et prit la direction de la clôture.
Il se dit : « Haa, c'était chaud ! »
Le lendemain, celui qui était allé en voyage revint ;
il rassembla tout le monde chez le chef de village,
il dit : « Je suis allé en voyage,
me voilà déjà de retour
car on m'a dit de faire un sacrifice :
que tous les villageois sacrifient un taureau rouge. »
L'imam voulait dire quelque chose
mais il rencontra son regard
et baissa sa tête.
Le responsable des jeunes fit de même.
Tous dirent alors : « C'est cela que nous ferons,
car nous avons toujours fait ainsi. »
Auparavant, même s'il disait la vérité
les autres le contredisaient.
C'est cela qui a mis fin à cela.
Qui l'a tiré de là ?

— La femme !

C'est cela que j'ai vu.

Commentaire

Ce conte fait pendant du précédent en montrant la relation homme-femme
et plus précisément la relation conjugale sous un jour favorable. Les rôles
sont renversés : la représentante du sexe faible est la plus forte. L'astuce
de la femme qui élabore sa stratégie en comptant sur la luxure des notables
du village fait rire l'auditoire au dépens de ces derniers et le contraste
entre eux et la femme courageuse n'est que plus grand.

LA FEMME INFIDÈLE ET SES AMANTS

Il y avait une femme, une femme soninké.
Tout le monde savait qu'elle s'amusait avec les hommes.
On rapporta cela à son mari.
Celui-ci dit qu'il n'était pas au courant
mais que s'il la surprenait, il agirait en conséquence.
Le temps passait, les gens continuaient à parler
mais le mari ne les écoutait pas.
Un jour, il alla se confier à une vieille femme, il lui expliqua tout :
« Oh amie de ma mère, je te confie mon problème
je voudrais savoir ce que je dois faire. »
La vieille répondit : « Agis comme je te le dis,
ne te querelle pas, ne fais rien,
l'amour de ta femme et de son amant
prendra fin sans ton intervention.
Dis à ta femme que tu pars en voyage
alors elle ne se méfiera pas,
elle sera tranquille pensant que tu es loin.
Toi, tu retourneras sur tes pas au moment du repas du soir
tu viendras auprès de ton cheval,
tu le nourriras avec des herbes puis tu rentreras dans ta maison
tu verras ce que tu devras voir. »
En fait, la femme avait deux amants qui rivalisaient.
Celui que la femme préférait arriva très tôt,
tout juste après le repas.
Le mari nourrissait son cheval.
Le premier amant ne le remarqua pas, il entra vite dans la maison.
Il s'assit sur le lit les jambes croisées.
La femme se mit à rire et son amant rit avec elle.
Alors le mari fit « hum » et la femme reconnut sa voix.
« Entre dans la jarre d'indigo, dit-elle à son amant. »
Une grande jarre d'indigo se trouvait là.

Il y entra et s'assit dedans.

Le mari avait tout vu.

Il entra dans la maison dès qu'il eut fini de nourrir son cheval.

« Tu es de retour ? demanda son épouse.

— Oui.

— Eh bien, voici le repas.

— Je suis rassasié merci.

— Va te laver si tu ne manges pas, l'eau se trouve là-bas.

— Je ne veux pas me laver.

Le mari savait que l'amant était installé dans la jarre.

— Tu ne veux pas même te laver les pieds ?

— Je l'ai fait déjà en arrivant. »

La femme ne réussit pas à faire sortir son mari.

« Tu as donc changé d'avis tu n'as pas voulu passer la nuit
là où tu étais ?

— J'y ai renoncé, j'ai oublié quelque chose
c'est pour cela que je suis revenu. »

L'autre amant arriva à ce moment-là.

Aussitôt qu'il eut dit bonsoir il remarqua le mari
assis sur le lit de bambou.

Vite, il ajoute : « Salut mon ami, comment vont tes parents ? »

Puis il s'adressa à la femme :

« Un tel m'a chargé de venir te voir,
il te demande de lui prêter la jarre d'indigo.

— D'accord, la voici, répondit-elle.

— Il faut m'aider à la charger. »

La femme et sa fille l'aidèrent et les trois sortirent
ensemble la jarre.

Chargé de la lourde jarre, l'homme prit la route.

Il se dirigea vers la place du village.

Dès qu'il arriva il se débarrassa vite de la jarre,
il la posa par terre.

« Oh, dit-il, quelle chance j'ai eu aujourd'hui ! »

L'autre qui se trouvait dans la jarre dit alors :

« Toi, tu as beau être chanceux,
penses-tu être aussi chanceux que moi ?

— Ça alors, fit l'autre, ainsi j'étais chargé de toi ? »

Il se saisit de l'autre et ils se battaient : bigiw, bigiw, bigiw !

Ils étaient sur le point de se briser l'échine l'un à l'autre.

Le second amant dit alors :
« Cette femme ne vaut rien !
Elle donne rendez-vous à deux hommes à la fois,
les gens l'ont toujours traitée de coureuse d'hommes.
— Cela est vrai, répondit le premier amant
elle nous a donné rendez-vous à tous les deux,
plus jamais je ne l'aimerai.
— Moi non plus, je ne l'aimerai plus. »
Ils se battirent encore pendant un certain temps,
personne ne vint les séparer.
Puis, ils se séparèrent, chacun partit de son côté,
tous les deux abandonnèrent la femme.
Le mari fut soulagé.
Il ne dit rien, rien du tout, il n'interrogea pas sa femme.
La femme n'eut plus d'amant.

Commentaire

Dans le mariage traditionnel la femme ne maîtrise pas son destin matrimonial. De ce fait, l'adultère peut être une forme de revanche ou l'expression de son libre choix. Comme dit Susanne Lallemand, «... dans l'adultère la femme s'empare des droits détenus par les aînés de son groupe à réglementer la sexualité et s'assujetir les partenaires de son choix. A la gestion apparente des femmes par les hommes s'opposent les démarches cachées de la libertine qui inverse les rapports entre les sexes, érige la femme en sujet, et ses partenaires - mari, amants, et aussi parents, détenteurs des droits matrimoniaux - en individus passif 'agis et non agissants'... » (Cf. S. Lallemand, 1985, p. 61). Ce ressentiment féminin est perçu par les détenteurs de pouvoir et, pour leur protection, on inculque dès l'enfance aux futurs hommes la méfiance à l'égard de la gente féminine. Nombreux sont les contes qui se terminent par les mises en garde : « N'écoutez pas les femmes », « Ne révélez pas vos secrets à des femmes ». (Cf. M. Travele, 1923, pp. 231-236 et 146-151. Sur le thème de l'adultère, cf. entre autres M. Travele, 1923, pp. 76-77, 179-184, 195-200 ; Equilbecq, 1972, pp. 314-15 ; Thoyer, 1982, pp. 86-90)

LIEN DE SANG...
DEVOIRS DE FAMILLE...

LA FILLE QUI VENGE SON PÈRE

Voici ce que j'ai vu :
Il y avait un homme, il avait sept fils.
Ces sept fils avaient une petite sœur.
Un jour, ils travaillaient avec leur père.
Un chasseur arriva,
il tira un coup de fusil sur le père, il le tua.
La fille apportait le repas de midi,
elle dit : « Qu'est-il donc arrivé à notre père ?
— Un homme l'a tué !
Un homme est venu ici,
il a tiré un coup de fusil sur lui.
— Si c'est ainsi, je partirai à sa recherche. »
Elle partit.
Elle alla chercher un petit couteau,
elle l'aiguisa bien, le mit dans sa calebasse,
elle posa des pagnes dessus.
Elle se mit en route.
Quand elle arrivait dans un village,
les jeunes gens disaient : « Voici notre amie, voici notre amie ! »
Elle répondait : « Je n'épouserai que le jeune homme
qui aura fait des prouesses. »
L'un d'eux dit : « Moi, je tue des hippotragues,
moi, je tue des cobes onctueux ! »
— Aucun d'entre vous n'a fait des prouesses !
C'est celui qui a fait des prouesses que j'épouserai ! »
Elle partit.
Elle se dirigea vers un autre village.
Tous les jeunes gens parlèrent.
L'un d'eux dit : « C'est moi qui ai fait des prouesses !
Sept jeunes gens avaient entouré leur père,
j'ai pourtant tué ce dernier.

Jusqu'à maintenant, il n'y a pas eu de suite !
— C'est bien toi que je cherche ! »
Ils partirent ensemble vers la maison.
Ils furent là-bas pendant une semaine.
Il y avait aussi deux vieilles femmes avec ce jeune homme.
Durant toute la semaine,
la fille faisait la cuisine le matin,
elle mettait le repas dans une calebasse
et elle le posait sur le grenier intérieur.
Les deux vieilles femmes descendaient la calebasse
et elles mangeaient.
A la fin de la semaine, la fille coupa la tête du jeune homme,
elle la mit dans la calebasse des vieilles femmes,
et posa la calebasse sur le grenier intérieur.
Alors, quand elles se réveillèrent,
celle qui marchait un peu vite dit :
« Ne vas-tu pas regarder là-bas
si notre repas du matin s'y trouve de nouveau ? »
Elle s'y dirigea.
Dès qu'elle vit la calebasse, elle mit sa main sur la tête[1],
elle dit : « Dieu ! je ne peux pas dire cela,
je ne peux pas descendre cela aujourd'hui !
— Quoi ?
— Je ne peux pas la descendre ! »
L'autre se leva à son tour, elle alla regarder.
Il y avait une tête d'homme.
Alors, elles crièrent, les gens vinrent.
Ils allèrent regarder le jeune homme,
il était couché dans son sang.
Les gens dirent : « Que ceux qui ont des chevaux partent,
ceux qui savent monter à cheval ! »
Il y avait là-bas un jeune homme, c'était un lépreux,
mais il savait monter à cheval mieux que tous.
On l'appelait Soumouroumourou.
Il prépara son cheval, se mit en route, et chanta :

> *Entre ici et le Kasso*[2]

1. Geste de désespoir.
2. C'est une région située dans l'Ouest de la République du Mali.

> *Soumouroumourou parcourt la distance,*
> *Diaye Soumouroumourou !*
> *Entre ici et le Bawoli[3],*
> *Soumouroumourou parcourt la distance,*
> *Diaye Soumouroumourou !*

Il galopa très vite.
Il vit la fille au loin,
il dit : « Tu as eu honte !
— C'est Dieu qui sait qui a eu honte ! »
Il chanta :

> *Entre ici et le Kasso,*
> *Soumouroumourou parcourt la distance,*
> *Diaye Soumouroumourou !*
> *Entre ici et le Bawoli,*
> *Soumouroumourou parcourt la distance,*
> *Diaye Soumouroumourou ! »*

Il arriva, rattrapa la fille,
et il dit : « Tu vas le savoir aujourd'hui,
la prouesse que tu viens de réaliser,
une femme ne doit pas la réaliser !
Monte sur le cheval, partons !
— Soumouroumourou, tu ne te connais pas toi-même,
tu trouves ici une fille comme moi
et tu ne dis pas qu'on se couche sur une natte,
tu dis de monter sur le cheval,
toi, tu ne te connais pas toi-même ! »
Il descendit, il commença à arracher des feuilles.
Elle dit : « Monte sur cet arbre ici, monte sur ce *mana*[4] ,
c'est lui qui a de belles feuilles ! »
Il y monta, mit les feuilles qu'il arrachait sous ses aisselles.
Alors la fille se précipita vers le cheval,
elle le fit galoper, elle le fit galoper.
Elle arriva dans son village.
Elle arriva, prit le sabre et le donna à un de ses frères,
elle donna l'écharpe à un autre frère,
elle prit le cheval et le donna à son frère aîné ;
elle dit : « Moi, je suis plus brave que vous.

---

3. Région non identifiée.

4. Il s'agit du « Lophira laceolata ».

Certes, je suis une femme,
mais si tu entends qu'une femme ne se venge pas
c'est parce que tu n'es pas au courant.
Moi toute seule, je suis meilleure que vous tous les sept jeunes gens !
Voilà ce que vous aviez fait :
« Vous aviez laissé tuer mon père au milieu de vous tous,
vous n'avez rien fait après cela,
c'est moi qui ai agi. »

Là où j'ai pris le conte, là je le remets.

Commentaire

En dehors des récits marqués par les relations difficiles et conflictuelles, dont la responsabilité incombe sans exception au père, il y en a d'autres où l'initiative de l'action revient à la jeune fille. Dans le conte présenté ici, le courage et la détermination de celle-ci sont d'autant plus réhaussées qu'elle s'oppose à la lâcheté de ses frères ; elle seule est prête à sauver l'honneur familial. Elle prend un rôle d'homme et utilise le couteau, une arme par excellence masculine. (Verser du sang est interdit aux femmes dans de nombreuses sociétés africaines). Redresseuse de torts sociaux, elle agit en accord avec les valeurs respectées de la société ce qui ne l'empêche pas de transgresser par ailleurs d'autres règles jugées en l'occurence moins importantes.

Signalons ici encore deux contes bambara en relation avec notre thème. L'un montre la force et le dévouement de la fille qui accepte d'être égorgée pour que son père emporte la victoire (Equilbecq, 1972, p. 235) ; dans l'autre au contraire, la protagoniste, une jeune femme, est prête à tuer son père afin de sauver son mari (Travele, 1923, pp. 169-174). G. Meyer a collecté cinq versions de ce conte. Pour plus de détail et pour d'autres versions de l'Afrique de l'Ouest, cf. l'étude intitulée « l'Arbre justicier » Görög-Karady, 1970. Ce thème est très fortement implanté chez les Malinké.

LA FILLE DE L'ÉPOUSE MAL-AIMÉE
ET SON PÈRE

Conte !
C'est l'histoire de la fille de l'épouse mal-aimée
et de la fille de la favorite.
La fille de la favorite était vilaine,
celle de la mal-aimée était très belle.
Lorsque les commerçants passaient
la fille de la mal-aimée les recevait.
La fille de la favorite en fut contrariée,
elle alla voir leur père :

> *Père, si tu ne viens pas, Nalen Sira ne pourra vivre !*
> *Père, si tu ne viens pas, Nalen Sira ne pourra vivre !*
> *Lorsque les commerçants viennent de l'Est,*
> *Ils disent tous que Nalen est plus belle que Nalen Sira.*
> *Lorsque les commerçants viennent de l'Ouest,*
> *Ils disent tous que Nalen est plus belle que Nalen Sira.*
> *Père, si tu ne viens pas, Nalen Sira ne pourra vivre !*
> *Père, si tu ne viens pas, Nalen Sira ne pourra vivre !*

Les commerçants continuaient de venir,
ils s'arrêtaient toujours chez Nalen,
ils ne s'arrêtaient jamais chez Nalen Sira.
Ils offraient du sel a la mère de Nalen,
ils offraient de la cola à la mère de Nalen.
Mais la mère de Nalen était l'épouse mal-aimée.
Nalen Sira était très fâchée, Nalen Sira était très contrariée.
Elle retourna voir leur père :

> *Père, si tu ne viens pas, Nalen Sira ne pourra vivre !*
> *Père, si tu ne viens pas, Nalen Sira ne pourra vivre !*
> *Lorsque les commerçants viennent de l'Est,*
> *Ils disent tous que Nalen est plus belle que Nalen Sira.*

Lorsque les commerçants viennent de l'Ouest,
Ils disent tous que Nalen est plus belle que Nalen Sira.
Père, si tu ne viens pas,Nalen Sira ne pourra vivre !
Père, si tu ne viens pas,Nalen Sira ne pourra vivre !

Mais tout continua comme avant.
Un jour le père dit aux esclaves :
« Vous allez prendre Nalen, vous allez la tuer ! »
Les esclaves la tuèrent et ils l'enterrèrent.
Sur sa tombe un fromager poussa, un grand fromager.
Son ombre était agréable.
Lorsque les commerçants venaient,ils s'installaient à son ombre,
ils offraient des paniers de cola au fromager,
ils offraient des barres de sel au fromager.
Ils s'y installaient et y passaient la nuit.
Le fromager de Nalen plaisait plus aux gens que Nalen Sira.
Nalen Sira apprit cela et alla voir encore son père :

Père, si tu ne viens pas,Nalen Sira ne pourra vivre !
Père, si tu ne viens pas,Nalen Sira ne pourra vivre !
Lorsque les commerçants viennent de l'Est,
Ils disent tous que Nalen est plus belle que Nalen Sira.
Lorsque les commerçants viennent de l'Ouest,
Ils disent tous que Nalen est plus belle que Nalen Sira.
Père, si tu ne viens pas,Nalen Sira ne pourra vivre !
Père, si tu ne viens pas,Nalen Sira ne pourra vivre !

Le père s'adressa alors aux forgerons :
« Qu'attendez-vous pour abattre le fromager ? »
Ils abattirent le fromager et en firent un tas.
Lorsque les commerçants arrivaient,
ils posaient près du fromager coupé des paniers de cola,
ils posaient près du fromager coupé des barres de sel.
Le fromager coupé plaisait plus aux gens que Nalen Sira.
Nalen Sira retourna encore voir son père :

Père, si tu ne viens pas,Nalen Sira ne pourra vivre !
Père, si tu ne viens pas,Nalen Sira ne pourra vivre !
Lorsque les commerçants viennent de l'Est,
Ils disent tous que Nalen est plus belle que Nalen Sira.
Lorsque les commerçants viennent de l'Ouest,
Ils disent tous que Nalen est plus belle que Nalen Sira.

Père, si tu ne viens pas, Nalen Sira ne pourra vivre !
Père, si tu ne viens pas, Nalen Sira ne pourra vivre !

Le père donna l'ordre de mettre le feu au tas de fromager.
Le tas de bois fut réduit en cendre,
la cendre fut aussi blanche que la chaux.
Les femmes allaient chercher de la cendre,
elles en enduisaient leur maison,
elles l'utilisaient pour décorer leur maison.
La cendre de Nalen était plus belle que Nalen Sira.
Nalen Sira apprit cela, elle alla voir son père :

Père, si tu ne viens pas, Nalen Sira ne pourra vivre !
Père, si tu ne viens pas, Nalen Sira ne pourra vivre !
Lorsque les commerçants viennent de l'Est,
Ils disent tous que Nalen est plus belle que Nalen Sira.
Lorsque les commerçants viennent de l'Ouest,
Ils disent tous que Nalen est plus belle que Nalen Sira.
Père, si tu ne viens pas, Nalen Sira ne pourra vivre !
Père, si tu ne viens pas, Nalen Sira ne pourra vivre !

Le roi dit aux habitants de la ville :
« Qu'attendez-vous pour faire disparaître les cendres de Nalen ? »
Les gens ramassèrent et jetèrent les cendres au fleuves.
Et la cendre se transforma : les jolies carpes comme on en
voit encore
sont faites de la cendre.
Toute la journée les Somono se rendaient au fleuve
pour les pêcher.
Tous les habitants du village allaient les pêcher,
car même les poissons de Nalen étaient plus beaux que
Nalen Sira.
Nalen Sira retourna encore voir son père :

Père, si tu ne viens pas, Nalen Sira ne pourra vivre !
Père, si tu ne viens pas, Nalen Sira ne pourra vivre !
Lorsque les commerçants viennent de l'Est,
Ils disent tous que Nalen est plus belle que Nalen Sira.
Lorsque les commerçants viennent de l'Ouest,
Ils disent tous que Nalen est plus belle que Nalen Sira.
Père, si tu ne viens pas, Nalen Sira ne pourra vivre !
Père, si tu ne viens pas, Nalen Sira ne pourra vivre !

Le roi dit aux Somono :
« Qu'attendez-vous pour aller pêcher les poissons de Nalen ? »
Les Somono obéirent, ils ont pris tous les poissons de Nalen.

Là où j'ai pris ce conte, je le remets là.

Commentaire

L'orpheline victime est un des personnages bien campés des contes de l'Afrique de l'Ouest. Le plus souvent, elle est malmenée, maltraitée par la coépouse de sa mère qui gâte son propre enfant et impose de durs labeurs à l'autre fille. Dans d'autres cas, elle est mal nourrie, affamée. Dans certains contes elle s'en sort grâce à une intervention surnaturelle, émanation de la mère morte. On peut citer comme exemple un conte typiquement bambara publié sous le titre « Le figuier de l'orpheline » (Görög-Diarra, 1979, pp. 58-59). La marâtre lave à l'eau les mains de sa propre fille et avec de l'huile les mains de la fille de sa coépouse morte (pour accéder à la nourriture il faut avoir les mains sèches). Affamée, l'orpheline découvre un figuier qui baisse ses branches lui permettant de cueillir ses fruits. La fille envieuse de la marâtre suit l'orpheline et monte sur l'arbre. L'orpheline chante et l'arbre monte au ciel avec la fille de la marâtre. Dans notre conte, volet masculin de l'histoire -dont on connaît plusieurs versions- le père de l'orpheline devient un pantin aux ordres de la fille de son épouse favorite, au point de faire torturer, tuer, voire profaner les restes de sa fille orpheline. Quel est le message de ce conte qui montre la faiblesse coupable et la cruauté du père ? Veut-il montrer à quel point l'homme est à la merci d'une belle épouse -et des enfants de cette dernière- ?

LES JUMEAUX QUI CHERCHENT LEUR MÈRE

Il y avait un roi qui avait deux épouses :
la favorite et l'épouse mal-aimée.
La favorite était tout pour le roi
et il n'avait aucun égard pour la mal-aimée.
Elle n'avait pas de quoi s'habiller,
elle n'avait rien excepté un pagne qu'elle portait toujours.
Grâce à Dieu, elle conçut.
Dès qu'elle sut qu'elle portait un enfant
elle partit en brousse,
elle se fit passer pour une femme
qui allait chercher des noix de karité.
Dans la brousse elle se salit beaucoup,
sa chevelure fut pleine de nids d'oiseaux,
elle chercha un abri dans un buisson.
Panthère, Hyène et Lionne se trouvaient là.
Les mois passèrent,
elle allait accoucher.
Le roi ne l'avait pas fait chercher, il l'avait oubliée.
Ses sujets ne lui avaient pas demandé les nouvelles
de la mal-aimée.
La favorite était tout pour le roi.
La mal-aimée se confia alors à Lionne,
elle accoucha dans la brousse, et elle eut des jumeaux.
Un jour Lionne lui dit :
« Il est temps que je te laisse partir au village. »
La femme retourna donc au village
et les jumeaux restèrent avec Lionne.
Le temps passait.
Lionne confectionna des habits,
elle les enduisit d'indigo
et elle en habilla les deux jumeaux.

Elle fit faire deux bagues en argent
et les mit à leurs doigts.
Elle s'occupa de leur circoncision.
Lorsque les jumeaux devinrent adultes,
elle les fit monter sur deux beaux étalons
et leur dit d'aller chercher leur mère.
« Si une femme vous dit
qu'elle vous a mis au monde sous une moustiquaire,
elle n'est pas votre mère.
Si une autre vous dit
qu'elle vous a donné le jour dans une maison à terrasse,
elle n'est pas votre mère.
Si une femme dit qu'elle vous a mis au monde dans la brousse,
cette femme-là est votre mère.
Si on vous demande où vous êtes nés
vous direz que vous êtes nés dans un buisson.
Si on vous demande ce qu'il y a dans la brousse
dites qu'il y a la Panthère, Hyène, et Lionne. »
Les jumeaux montés sur leur chevaux prirent la route
et ils arrivèrent à un premier village.
Il y avait beaucoup de femmes au puits.
En les voyant elles s'exclamèrent :
« Oh, voici des jumeaux, voici des jumeaux !
Qu'ils sont beaux, quelle chance de les voir ! »
Ils s'arrêtèrent au puits,
les femmes leur donnèrent à boire.
Quand ils eurent fini de boire ils dirent :

> *Nous cherchons notre mère, nous cherchons notre mère,*
> *kala den den ! kalaba den den !*

Une femme s'approcha :

> *C'est moi, votre mère ! C'est moi, votre mère !*
> *Je suis la mère des jumeaux !*
> *Kala den, den, kala den den !*
> *Où nous as-tu mis au monde ? Où nous as-tu mis au monde ?*
> *Kala den, den, kalaba den den !*
> *Je vous ai mis au monde dans une maison !*
> *Je vous ai mis au monde dans une maison !*
> *Kala den, den, kalaba den den !*
> *Tu n'es pas notre mère, tu n'es pas notre mère !*

Tu n'es pas la mère des jumeaux !
Kala den, den, kalaba den den !

Ils poursuivirent leur chemin
et ils arrivèrent à un autre village.
Les femmes accoururent : « Oh, dirent-elles,
voici des jumeaux, voici des jumeaux,
qu'ils sont beaux, quelle chance de les voir ! »
Ils s'arrêtèrent, et leur donnèrent à boire.
Les jumeaux chantèrent :

Nous cherchons notre mère !
Nous cherchons notre mère !
Kala den, den, kalaba den den !

Une femme leur répondit :

C'est moi votre mère ! C'est moi votre mère !
Je suis la mère des jumeaux !
Kala den, den, kalaba den den !
Où nous as-tu mis au monde ?
Où nous as-tu mis au monde ?
Je vous ai mis au monde sous une moustiquaire !
Je vous ai mis au monde sous une moustiquaire !
Tu n'es pas notre mère, tu n'es pas notre mère !
Tu n'es pas la mère des jumeaux !
Kala den, den, kalaba den den !

Les jumeaux poursuivirent leur chemin
jusqu'à la ville du roi, qui fit venir tout le monde.
On joua du tambour d'appel pour rassembler tout le monde
afin de savoir à qui appartenaient les enfants.
Toutes les femmes arrivèrent, elles vinrent toutes,
et les jumeaux chantèrent :

Nous cherchons notre mère ! Nous cherchons notre mère !
Kala den, den, kalaba den den !

Les femmes se présentèrent,
leur mère ne se trouvait pas parmi elles.
L'épouse préférée du roi se leva elle aussi.
Les gens crièrent : « Laissez-la venir, laissez-la venir ! »
Les jumeaux lui dirent :

Nous cherchons notre mère ! Nous cherchons notre mère !

Kala den, den, kalaba den den !
Je suis votre mère !
Je suis la mère des jumeaux
Kala den, den, kalaba den den !
Où nous as-tu mis au monde ?
Où nous as-tu mis au monde ?
Je vous ai mis au monde dans une maison à terrasse !
Je vous ai mis au monde dans une maison à terrasse !
Tu n'es pas notre mère !
Tu n'es pas la mère des jumeaux !
Kala den, den, kalaba den den !

Vint le tour de l'épouse mal-aimée.
Elle se fit bousculer.
« Eloigne-toi, des personnes importantes ne les ont pas eus
comme fils

encore moins toi avec ta chevelure pleine de nids d'oiseaux !
Toi, avec ton pagne en lambeaux, éloigne-toi ! »
Quelqu'un dit alors :
« Eh, laissez-la venir qu'elle dise ce qu'elle a à dire !
— Oh, comment celle-ci pourrait-elle être la mère des jumeaux ?
Comment pourrait-elle les avoir pour fils ?
— Laissez-la tout de même, Dieu est imprévisible,
laissez-la venir ! »
Elle s'avança et les jumeaux dirent :

Nous cherchons notre mère ! Nous cherchons notre mère !
Kala den, den, kalaba den den !
C'est moi votre mère ! C'est moi la mère des jumeaux !
Où nous as-tu mis au monde ? Où nous as-tu mis au monde ?
Je vous ai mis au monde dans la brousse !
Je vous ai mis au monde dans la brousse !
Kala den, den, kalaba den den !
Qu'y avait-il dans la brousse ?
Panthère se trouvait dans la brousse !
Hyène se trouvait dans la brousse !
Lionne se trouvait dans la brousse !
Kala den, den, kalaba den den !
C'est toi notre mère ! C'est toi la mère des jumeaux !
Kala den, den, kalaba den den !

Tout le monde accourut et le roi dit :
« Quelle surprise, j'ai pris cette femme pour une vaurienne
et c'est à elle que revient le rôle de consolider ma lignée. »
On renvoya l'épouse favorite sur-le-champ.
Le roi prit une pile d'étoffe neuve et l'étendit sur le sol
jusqu'au sommet de la maison à étages.
On fit avancer la mal-aimée là-dessus.
Et elle devint l'épouse préférée du roi.
Qu'est-ce qui a fait cela ?
C'est la naissance des enfants,
c'est la naissance des jumeaux.
Autrement, elle aurait dû souffrir encore
et sa chevelure se serait remplie de nids d'oiseaux,
elle serait restée dans la brousse comme une folle.

Là où j'ai pris le conte, là je le remets.

Commentaire

Ce récit en correspondance profonde avec l'idéologie régnante en milieu
patrilinéaire patrilocal en général, et plus particulièrement chez les Bambara-Malinké, illustre de façon exemplaire que le destin des femmes se
joue en fonction de leur capacité de donneuse de vie. L'épouse mal-aimée
et humiliée acquiert l'estime du mari et la reconnaissance sociale grâce
à sa progéniture, ses fils jumeaux.
Aucune précision n'est donnée sur l'acte de procréation. Dans certaines
variantes la mal-aimée cherche les moyens pour devenir enceinte. Elle
demande conseille à une vieille femme qui lui suggère d'avaler une boule
de terre sur laquelle le mari a uriné ; ou encore, l'épouse délaissée offre
au mari un mets succulent pour attirer sa faveur au moins pour une seule
nuit.
Une fois enceinte, elle quitte le monde villageois. Ce départ s'explique
par l'hostilité potentielle de la favorite à l'égard de l'enfant à naître.
De façon quasiment stéréotypée, la favorite est belle, jeune et stérile
dans ce type de conte.
L'héroïne, marginalisée au village, trouve refuge et protection dans la
brousse, dans la nature non-socialisée. (Les animaux secourables sont
souvent identifiés à des génies par les locuteurs bambara). Elle mettra

au monde des jumeaux qui font figure de progéniture bénéfique par excellence ; eux-mêmes et leur mère occupent un statut honorifique particulier. Les jumeaux sont marqués par des insignes spéciaux (coquillages, bracelets) et possèdent des autels propres. Pour les auditeurs bambara du conte cette naissance constitue une première étape dans l'*ascension sociale* de l'épouse mal-aimée. La lionne prend le rôle de l'éducatrice pour les jumeaux et élargit cette tâche à son terme culturel, l'initiation. Il faut noter à ce propos que la lionne ou le lion apparaissent dans deux confréries initiatiques bambara. Dans la société des incirconcis, ils représentent « l'esprit lui-même, explorateur et ouvrier de la connaissance » alors que dans la société de grade supérieur, les lions divisés en mâles et femelles « représentent la connaissance calme et sereine ».

Mais, pour accomplir leur destin social et leur mission auprès de leur mère, les jumeaux doivent se faire reconnaître dans la société villageoise. Or cette reconnaissance est avant tout fonction de leur filiation. Seuls les parents légitimes sont habilités à garantir leur identité.

Ils cherchent donc à retrouver leur mère et passent de village en village. Cette quête est une affaire publique. Toutes les femmes les revendiquent comme les leurs propres, sauf la vraie mère qui s'efface, faisant preuve de modestie et de retenue. Pourtant, elle seule passe positivement l'épreuve et donne la bonne réponse à la question posée.

Mère et fils une fois identifiés, l'insertion sociale des jumeaux se réalisera par la reconnaissance du père. C'est lui qui a le pouvoir social d'accorder aux enfants leur statut de descendants, en avalisant la reconnaissance maternelle. Mais, par ce geste, le père modifie également le statut de la mère. De mal-aimée, la mère des jumeaux deviendra l'épouse préférée. La maternité lui permet de prendre rang dans le foyer et dans la communauté. Sécurité, stabilité et prestige sont acquis aux femmes grâce à leurs enfants et plus particulièrement, aux fils, qui demeurent toute leur vie durant les protecteurs sûrs de leur mère.

Pour une étude plus approfondie de ce conte cf. Görög-Karady, 1983, pp. 151-172

Nous trouvons une autre version du conte dans Görög-Diarra, 1979, pp. 54-56

LA FILLE ET L'OISEAU

Il y avait une fille
elle refusait tout homme qu'on lui proposait.
On la promit à un certain jeune homme et elle le refusa.
Au moment où on allait célébrer ses noces,
elle se révolta, elle refusa le mariage.
Le jeune homme se métamorphosa en un petit oiseau
qui s'appelait Tiyoro.
Il suivit la fille au puits et il dit :
« Tiyoro, je veux faire la corvée d'eau avec toi. »
Elle se mit à courir et vint trouver sa mère :

> *Oh ma mère, n'avez-vous pas entendu l'oiseau ?*
> *Oh mes pères, n'avez-vous pas entendu l'oiseau ?*
> *L'oiseau du Mande, n'avez-vous pas l'entendu ?*
> *L'oiseau a dit Tiyoro, je veux faire la corvée d'eau, Tiyoro,*
> *L'oiseau a dit Tiyoro, je veux faire la corvée d'eau avec toi.*

« Laisse-le donc, fit sa mère. »
Lorsqu'elle voulut aller piler du mil,
l'oiseau dit : « Tiyoro je veux t'accompagner. »
Et la fille de dire :

> *Oh, ma mère, n'avez-vous pas entendu le petit oiseau ?*
> *Oh, mes pères, n'avez-vous pas entendu le petit oiseau ?*
> *Le petit oiseau de Mande, n'avez-vous pas l'entendu ?*
> *Le petit oiseau a dit Tiyoro, je veux piler du mil, Tiyoro.*

« Laisse-le-donc piler le mil, répondit la mère. »
Le mil fut alors pilé.
On mit sur le feu la marmite du *to*.
« Oh Tiyoro, je veux préparer avec toi du *to*. »

> *Oh, ma mère, n'avez-vous pas entendu le petit oiseau ?*
> *Oh, mes pères, n'avez-vous pas entendu le petit oiseau ?*
> *Le petit oiseau du Mande, n'avez-vous pas l'entendu ?*
> *L'oiseau a dit Tiyoro, je veux préparer de to.*

« Laisse-le donc, dit encore la mère. »
Ils préparèrent ensemble le *to*.
Le soir elle lui donna une vieille petite natte
pour qu'il se couche là-dessus.
« Tiyoro dit-il, je veux me coucher avec toi ! »
Elle se mit a courir et alla chez sa mère :

> *Oh, ma mère, n'avez-vous pas entendu le petit oiseau ?*
> *Oh, mes pères, n'avez-vous pas entendu le petit oiseau ?*
> *Le petit oiseau du Mande, n'avez-vous pas l'entendu ?*
> *L'oiseau a dit Tiyoro, je veux me coucher avec toi Tiyoro.*

« Va donc, qu'il se couche avec toi, dit la mère. »
Elle le prit pour passer la nuit avec elle.
A minuit l'oiseau redevint un être humain.

Là ou j'ai pris ce conte, là je le remets.

Commentaire

Ce conte présente un autre cas de figure. La résistance au mariage ne relève pas d'un parent qui s'attache par trop à sa progéniture mais traduit
l'appréhension de la jeune fille face au chemin difficile de l'alliance.
Son attitude va à l'encontre de puissants intérêts sociaux dont la mère
se porte défenseur : elle prend le rôle de l'alliée du prétendant astucieux
(jeune homme oiseau ou jeune homme flûtiau).
La tonalité du récit est enjouée. (Pour d'autres versions bambara-malinké
cf. Görög-Meyer, 1984, pp. 31-34 ; Richeux Pallier, 1975, pp. 92-93 et
110-11 ; Massa M. Diabate, 1970, pp. 105-110 ; Thoyer, 1982, pp. 70-
76)

LA FILLE QUI AIDA SON FRÈRE
À TROUVER UNE ÉPOUSE

Répondeur, voici ce que j'ai vu :
Il y avait un roi qui avait une fille.
Cette fille était très belle.
Celle-ci dit à son père : « Père,
as-tu de la semence de fonio[1] ?
— Oui, j'ai de la semence de fonio,
j'ai deux cent sacs de cent kilos.
— Bon, ce champ, il faudra le cultiver.
Quand ce champ de fonio sera cultivé
c'est avec celui qui l'aura récolté
que je me marierai !
— Quoi ?
— Oui ! »
Le roi fit venir soixante dix tracteurs
pour casser tous les arbres
puis il envoya des messagers.
Il fit mettre des sacs de cent kilos dans trois hélicoptères[2]
qui semèrent ces graines à la volée.
Puis, on désherba.
Le champ de fonio était étendu sur une distance comme entre
ici et Tambacounda[3].
Le roi dit « Le jeune homme qui récoltera cela,
il prendra la fille, il n'aura pas à ajouter cinq francs. »

1. Il s'agit du Digitaria exilis.

2. Les conteurs font intervenir très facilement les réalités et les techniques nouvelles
   dans leur récit.

3. La ville de Tambacounda est à plus de 200 kilomètres du village du conteur.
   C'est dire l'immensité du champ de fonio !

Quand un jeune homme venait
et qu'il faisait le tour de ce champ de fonio,
il posait la gerbe de fonio,
et disait : « J'aime cette fille
mais vraiment je ne peux pas récolter ce fonio. »
Il partait.
D'autres se préparèrent à venir,
dix hommes qui ressemblaient à Moussa[4] vinrent,
ils dirent : « Vraiment, nous ne le pouvons pas ! »
Finalement, si je ne vous le disais pas
est-ce que vous le sauriez ?
Les hommes ne voyaient pas la limite du champ de fonio.
Certains s'étaient mis dans un petit avion,
pour voir la limite.
Ils s'étaient mis en colère,
ils ne s'étaient même pas servi de la faucille.
Comment cela se fera-t-il ?
Ce n'est pas aujourd'hui que le monde a été créé !
J'ai bu un peu de bière de mil aujourd'hui...
Hé, quand on dit des contes, il y a des rires,
en ce qui concerne les hommes, en ce qui concerne les femmes,
il faut pardonner[5].
Quand donc ces hommes eurent échoué,
la sœur de quelqu'un s'apprêta,
elle dit : « S'il plaît à Dieu, mon frère aura cette femme. »
Quand on dit qu'une femme
ne construit pas de maison c'est un mensonge.
Cette femme vint donc,
quand elle arriva, elle dit : « La paix soit sur vous ! »
Le roi lui souhaita la bienvenue.
Elle dit : « Moi aussi j'ai entendu qu'il y a ici un champ de fonio,
et c'est celui qui le récoltera
qui aura la femme.
Voila que les hommes ont échoué,
moi aussi, je viens regarder
car j'ai essayé de trouver une épouse pour mon frère
mais je n'ai rien pu faire. »

4. Le conteur fait allusion ici à un jeune homme de son assistance du nom de Moussa.

5. La parole du conte n'est pas la parole du langage courant, elle est à un autre niveau.
    Le conteur demande donc de l'excuser s'il parle de certaines choses.

Le roi dit : « Les hommes sont venus,
ils ont échoué
et toi encore tu viens !
— Je viens, moi aussi,
si je le récolte,
mon frère aura la femme,
mais si je ne le récolte pas,
comme les autres sont partis
moi aussi je m'en irai ! »
On alla lui montrer le champ de fonio.
Le lendemain, elle voulait aller récolter ce fonio.
Le roi dit : « Patiente d'abord, prenons le petit-déjeuner ! »
On lui donna vingt neuf calebasses,
ces vingt neuf calebasses, c'est avec sept coups de calebasse-louche
qu'elle les vida.
Cette femme ne récolta ce fonio avec rien d'autre
que son sexe.
Quand elle arriva, elle se dirigea vers le fonio.
Elle chanta :

> *Mon beau-père, j'ai séché l'outre,* wusan wusanlibaa !
> *Attache, je l'ai attaché, tiri tiri !*
> *Coupe, je l'ai coupée l'herbe sèche,* wusan wusanlibaa !
> *Mon beau-père, j'ai séché l'outre,* wusan wusanlibaa !

Là où la femme se dirigeait,
en faisant ainsi, elle coupait le fonio,
en revenant, elle faisait les gerbes.
En coupant, elle faisait *wusan wusanlibaa !*
Au bout de deux heures, cette femme récolta tout le fonio.
Elle alla le déposer devant la porte du roi.
« Roi, le travail que tu m'avais demandé de faire,
le voici ! »

C'est ainsi que l'histoire se termine.
Il y a des femmes qui dépassent les hommes.
Si je ne vous l'avais pas dit, le sauriez-vous ?
C'est cette petite chose que j'ai vue.

Commentaire

De tonalité joyeuse et légèrement obscène, ce conte met en scène une jeune fille entreprenante. Sa démarche ne contredit pas les normes sociales car, en raison du système traditionnel de la dot, le mariage des frères est lié à celui des sœurs. La dot reçue pour les filles sert à couvrir les frais nécessaires aux épousailles des fils. Ce fait explique que la sœur se sent comme chez elle dans le foyer de son frère et est dans une relation d'autorité avec sa belle-sœur qui, tout au moins dans les premières années du mariage, se trouve un peu à la merci de la sœur du mari.

Pour des homologues du conte comportant l'intervention du frère dans les affaires de mariage de sa sœur, il faut examiner les versions *malinké* de « La fille qui veut épouser un homme sans cicatrice. » Le petit frère a ici une fonction inverse à celle que la sœur adopte dans notre conte. Au lieu de *tisser* le lien matrimonial de son parent, le petit frère doit s'employer à *défaire* l'union de sa sœur, cette dernière ayant chosi un époux dangeureux, car trop lointain.

LA FILLE QUI ABANDONNA SON FRÈRE

Je vais raconter l'histoire d'une fille et de son frère.
Leur père mourut, leur mère mourut ;
elle et son petit frère restèrent seuls.
Le nom de la fille était Nantenen.
Le père mourant lui avait dit :
« Nantenen, quand tu auras trouvé un mari,
tu ne devras pas laisser ton frère seul,
toi et lui, vous devrez partir ensemble,
car vous n'avez personne ici. »
La mère mourante de son côté avait dit :
« Je vais mourir, Nantenen, si je meurs,
tu ne dois pas t'en aller ailleurs
en laissant ton cadet.
Quand tu auras trouvé un mari,
toi et ton frère, vous devrez partir ensemble ;
ton mari devra vous garder, toi et ton frère,
car vous n'avez personne ici. »
Bien. Le père et la mère moururent.
Nantenen devint une grande jeune fille,
un homme vint la trouver et l'épousa.
Après son mariage, son petit frère lui dit :
« Nous devons partir ensemble.
— Tu ne viendras pas avec moi, dit-elle.
— Nous devons partir ensemble,
père a dit que nous devions nous en aller ensemble,
mère a dit que nous devions nous en aller ensemble ;
oui, c'est cela que père a dit.
— Tu ne viendras pas avec moi.
— Nous devons partir ensemble,
mère a dit que nous devions partir ensemble.

— Tu ne viendras pas avec moi. »
Tandis qu'elle chargeait ses affaires,
son petit frère la regardait ;
il ne savait ni ce qu'il deviendrait, ni où il mangerait.
Alors il se leva,
il se leva et suivit sa sœur aînée.
Ils s'en allèrent.
Regardant derrière elle, Nantenen vit son petit frère ;
elle déchargea ses affaires, l'attrapa
et le frappa, frappa, frappa,
puis l'abandonna.
Son cadet pleura
et se mit à courir.
La chanson que chantait le petit frère, chantez-la,
que je l'entende.
Il s'adressait à sa sœur :

> *Nantenen, attends-moi, Nantenen,*
> *ma sœur aînée, Nantenen, attends-moi, Nantenen !*
> *Le ciel est noir à l'est !*
> *Le ciel est noir à l'est !*
> *Je serai trempé aujourd'hui, Nantenen !*
> *L'hyène a pleuré Nantenen !*
> *Elle va m'attraper aujourd'hui, Nantenen !*
> *Le lion a rugi Nantenen,*
> *il va m'attraper aujourd'hui, Nantenen !*
> *Nantenen, attends-moi, Nantenen,*
> *ma sœur aînée, Nantenen, attends-moi, Nantenen !*

— Je ne t'attendrai pas, répondit-elle,
tu ne viendras pas avec moi chez mon mari,
retourne là-bas et meurs ! »
Elle se déchargea, l'attrapa,
le frappa, frappa et le frappa encore.
Puis elle repartit.
Son frère pleura et courut de nouveau derrière elle.
Ils arrivèrent au cœur de la brousse épaisse ;
elle prit un bâton, disant qu'elle allait le tuer.
Il courut puis s'arrêta et cria :

> *Nantenen, attends-moi, Nantenen, attends-moi, Nantenen !*
> *Le ciel est noir à l'est !*

Le ciel est noir à l'est !
Je serai trempé aujourd'hui, Nantenen !
L'hyène a pleuré Nantenen !
Elle va m'attraper aujourd'hui, Nantenen !
Le lion a rugi Nantenen !
Il va m'attraper aujourd'hui, Nantenen !
Nantenen, attends-moi, Nantenen,
ma sœur aînée, Nantenen, attends-moi, Nantenen !

« Je ne t'attendrai pas » répondit-elle,
et elle posa son bâton.
Il se mit à courir et s'arrêta sous un caïlcédrat.
Or, des génies s'y trouvaient.
Une femme-génie descendit, prit le petit et le hissa sur le caïlcédrat.
La sœur regarda derrière elle :
« *Payi*, les lions t'ont pris ! s'exclama-t-elle.
Tu as la paix ! Après cela, tu ne me suivras plus. »
En fait, c'était les génies qui l'avaient pris.
Le garçon fut donc élevé par les génies.
Il y resta trois ans, et devint un homme.
Les génies descendirent de l'arbre
et fondèrent entre deux villages une résidence royale
où ils laissèrent le garçon.
Pendant ce temps, la fille résidait chez son mari.
Les affaires de ce dernier tournèrent mal,
la misère entra dans leur maison.
Nantenen n'avait plus qu'un cache-sexe à se mettre.
Or, la récolte de son frère était bonne.
Elle se dit : « Je vais aller dans ce village
chercher de quoi manger aujourd'hui,
le propriétaire aura pitié de moi,
et il me donnera un peu de son,
je pourrai le préparer pour mes enfants. »
En fait, ce village était celui de son petit frère,
mais elle ne le savait pas et elle s'y rendit.
Au moment où son frère la vit,
il rit : « Voici ma sœur, dit-il,
c'est ma sœur qui porte sur ses fesses un cache-sexe !
Esclaves, levez-vous, chauffez de l'eau,
mettez un pagne sur elle, lavez-la,
préparez de la nourriture et donnez-la-lui. »

Ils firent tout cela pour elle.
Elle passa la journée là,
ne sachant pas que le propriétaire était son cadet.
Bien. Les griots étant assis là,
le frère vint, s'approcha de l'un deux et dit :
« Ma sœur aînée, qui m'a frappé autrefois, est là.
Quand arrivera le soir, j'irai la saluer,
et lui porter de la nourriture.
Tu prendras ta guitare, tu t'assoiras à côté d'elle.
Voici ce que je lui chantais quand elle m'a chassé.
Je te chante cette chanson pour que tu la lui répètes.
Lorsqu'elle m'a frappé, voilà ce que je lui chantais :

> *Nantenen, attends-moi, Nantenen,*
> *ma sœur aînée, Nantenen, attends-moi, Nantenen !*
> *Le ciel est noir à l'est !*
> *Le ciel est noir à l'est !*
> *Je serai trempé aujourd'hui, Nantenen !*
> *L'hyène a pleuré Nantenen !*
> *Elle va m'attraper aujourd'hui, Nantenen !*
> *Le lion a rugi Nantenen !*
> *Il va m'attraper aujourd'hui, Nantenen,*
> *Nantenen , attends-moi, Nantenen,*
> *ma sœur aînée, Nantenen, attends-moi, Nantenen !*

Voici ce que tu chanteras ; elle s'en souviendra. »
Bien ! Allah fit que le soir arriva.
Alors elle dit : « Je pars, les enfants m'attendent. »
Le cadet lui donna du mil et toutes sortes de choses.
Elle ne reconnut pas son frère.
Au moment où on la chargeait, le griot lui dit :
« Assied-toi et parlons... Tu vas nous manquer. »
Le griot prit sa guitare :

> *Nantenen, attends-moi, Nantenen*
> *ma sœur aînée, Nantenen, attends-moi, Nantenen !*
> *Le ciel est noir à l'est !*
> *Le ciel est noir à l'est !*
> *Je serai trempé aujourd'hui, Nantenen !*
> *L'hyène a pleuré Nantenen !*
> *Elle va m'attraper aujourd'hui, Nantenen !*
> *Le lion a rugi Nantenen !*

Il va m'attraper aujourd'hui, Nantenen !
Nantenen, attends-moi, Nantenen,
ma sœur aînée, Nantenen, attends-moi, Nantenen ! »
Elle s'écria : « C'est la chanson de mon petit frère ! »
Autrefois, les gens savaient ce qu'était la honte :
elle se transforma et devint une grande mouche
qui s'enfuit dans la brousse.

Là où j'ai pris ce conte, là, je le remets.

Commentaire

Ce conte antiféministe au souhait, présente une jeune orpheline qui se rend coupable d'une faute grave, en abandonnant son petit frère qui lui fut confié par ses parents mourants. Par son geste, comme le déroulement du conte le démontre, elle se fait également tort, en perdant l'appui du parent consanguin qui, en cas de besoin, pourrait assurer sa défense. De par son comportement, elle se prive du seul recours pour le cas -qui se vérifie dans le conte- où elle serait maltraitée dans son mariage ou atteinte par un malheur. Le manquement à la règle de solidarité entre consanguins se révèle être une faute si énorme que la proposition de pardon même, faite par le cadet lésé, ne peut l'effacer. En effet, dans le système des valeurs bambara -selon le témoignage concordant de toutes les versions connues du conte- la seule attitude convenable dans une telle situation est celle que la sœur s'impose, à savoir l'autopunition. Son choix, qui prend ici figure de justice immanente, renforce la règle sociale et notamment la loi de la solidarité. Dans la symbolique bambara-malinké, la honte est un concept fondamental, car il régit la relation à autrui. On apprend à l'enfant à avoir honte devant ses aînés, c'est-à-dire savoir tenir sa place dans le groupe. Pour interpréter la relation entre la honte -qui n'est que l'envers du sentiment d'honneur- et l'ordre social, il faut se souvenir que, pour les Bambara-Malinké, l'homme n'est véritablement humain qu'en respectant la coutume. La coutume -en opposition avec le biologique pur et le monde naturel- renvoie à toutes les valeurs du groupe et constitue en même temps le moyen pour transmettre ces valeurs. Pour plus de détails cf. Görög-Karady « Liens de sang, liens d'alliance... La relation frère-sœur dans quelques contes bambara-malinké » à paraître dans le volume d'hommage pour Geneviève Calame-Griaule prévu pour début 1989.

LA FILLE QUI VEUT ÉPOUSER UN HOMME
SANS CICATRICE ET QUI SERA SAUVÉE PAR SA SOEUR

Voici l'histoire d'une jeune fille.
Quel que soit l'homme qui vient l'épouser, elle dit ne pas l'aimer,
elle dit n'aimer que l'homme qui n'a pas de cicatrice.
Le python apprit cela.
Il se transforma en homme et vint.
Quand il est arrivé, la petite sœur de la fille
se transforma en mouche
et entra dans ses vêtements pour l'inspecter.
Elle dit : « Ah, certes, ma grande sœur, celui-ci est beau,
il n'a pas de cicatrice
mais il n'a pas d'odeur humaine non plus. »
La grande sœur répondit : « Je l'aime ainsi. »
Bien ! L'homme resta là-bas,
il resta là
jusqu'à ce qu'ils aient réglé toutes les questions de mariage.
Le père les fit accompagner.
Le python partit avec elle.
Il partit dans la brousse, il alla, alla, alla
et il arriva enfin à une grande termitière.
Il dit : « Eh bien, ma maison est ici. »
Dès qu'ils arrivèrent il entra
et les gens entrèrent également dans la termitière.
Alors il se transforma en serpent
et posa sa tête à l'entrée.
Au moment de leur départ, les gens de l'escorte dirent :
« Comment allons-nous faire maintenant ? »
Au moment de leur départ
les griots se mirent à part et dirent :

Jeune homme, jeune homme, jeune homme, jeune homme,

ne nous laisses-tu pas passer ?
Il dit : Hum, c'est la voix de qui ?
Ne reconnais-tu pas la voix des griots du chef de village
qui sont venus au mariage de Mandé ?
Il répondit : hum, bon retour !

Ils passèrent.
D'autres griots arrivèrent :

Jeune homme, jeune homme, jeune homme, jeune homme,
ne nous laisses-tu pas passer ?
Il dit : hum, c'est la voix de qui ?
Ne reconnais-tu pas la voix des cordonniers du chef de village
qui sont venus au mariage de Mandé ?
Il répondit : hum, bon retour !

Ils passèrent.
Vint le tour des cordonniers.

Jeune homme, jeune homme, jeune homme, jeune homme,
ne nous laisses-tu pas passer ?
Il dit : hum, c'est la voix de qui ?
Ne reconnais-tu pas la voix des cordonniers du chef de village
qui sont venus au mariage de Mandé ?
Il répondit : hum, bon retour !

Tous sortirent et repartirent
la mariée et sa petite sœur restèrent seules.
La petite dit : « Eh, mon aînée, comment allons-nous faire ? »
Elle répondit : « En ce qui me concerne, je ne peux rien te dire. »
La petite sœur reprit : « Bien, je vais te transformer en aiguille
et te coller à mon vêtement. »
Elle transforma l'aînée en aiguille
et la colla à son vêtement.
Elle s'est mise à chanter :

Jeune homme, jeune homme, jeune homme, jeune homme,
ne me laisses-tu pas passer ?
Il dit : c'est la voix de qui ?
Ne reconnais-tu pas la voix de la fille cadette du chef
qui est venue au mariage de Mandé ?
Il répondit : hum, ce qui se trouve sur ton vêtement,
va l'enlever et laisse-le !

La petite sœur devint encore plus inquiète.
Elle la transforma en aiguille à cheveux
et la mit sur sa tête.
Elle se mit à chanter :

> *Jeune homme, jeune homme, jeune homme, jeune homme,*
> *ne me laisses-tu pas passer ?*
> *Il dit : c'est la voix de qui ?*
> *Ne reconnais-tu pas la voix de la fille cadette du chef*
> *qui est venue au mariage de Mandé ?*
> *Il répondit : hum, ce qui se trouve sur ta tête,*
> *va l'enlever et laisse-le !*

Elle l'enleva et le laissa.
Elle dit : « Eh, ma grande sœur, comment allons-nous faire ? »
Puis elle ajouta : « Cette fois-ci je vais te transformer en gravillon
et te lancer derrière le mur.
Si je te lance derrière le mur, tu dois t'en aller. »
La sœur aînée répliqua : « Bien, d'accord. »
Elle la transforma en gravillon
et se mit encore à chanter :

> *Jeune homme, jeune homme, jeune homme, jeune homme,*
> *ne me laisses-tu pas passer ?*
> *Il dit : hum, c'est la voix de qui ?*
> *Ne reconnais-tu pas la voix de la fille cadette du chef*
> *qui est venue au mariage de Mandé ?*
> *Il dit : hum, bon retour !*

Elles sortirent, elles allèrent, allèrent, allèrent
et arrivèrent aux berges d'un fleuve.
Au moment où le serpent se levait
disant qu'il allait manger la mariée, elle n'était plus là.
Il a couru, les a vues, les a vues partir.
Il se transforma en tourbillon de vent et les poursuivit.
Il alla, alla, alla, alla.
La cadette dit : « Eh, ma grande-sœur ne vois-tu pas
le tourbillon de vent ? »
Elle reprit : « Le tourbillon de vent qui est derrière nous,
c'est ton mari qui vient. »
L'aînée répondit : « Ah, c'est vrai. »
Elles étaient arrivées à la berge du fleuve.

La grande sœur chanta :

Passe-moi, passe-moi, petit oiseau noir du fleuve
au cou très long,
passe-moi, passe-moi, petit oiseau noir du fleuve
au cou très long,
j'ai chez moi un cheval,
je te le donnerai, petit oiseau noir du fleuve
au cou très long,
j'ai des esclaves chez moi, petit oiseau noir du fleuve
au cou très long,
je te les donnerai, je te les donnerai, petit oiseau noir du fleuve
au cou très long,
un dangereux serpent me poursuit, petit oiseau noir du fleuve
au cou très long.

L'oiseau fit traverser la grande sœur.
La petite sœur à son tour, se mit à chanter :

Passe-moi, passe-moi, petit oiseau noir du fleuve
au cou très long,
passe-moi, passe-moi, petit oiseau noir du fleuve
au cou très long,
j'ai chez moi un cheval,
je te le donnerai, petit oiseau noir du fleuve
au cou très long,
un dangereux serpent me poursuit, petit oiseau noir du fleuve
au cou très long.

La cadette dit à la grande sœur : « Allons-y donc. »
Vint le tour du jeune homme serpent.
Lorsqu'il arriva à la berge du fleuve,
il se transforma en homme, s'arrêta, et dit à l'oiseau :

Passe-moi, passe-moi, petit oiseau noir du fleuve
au cou très très long,
passe-moi, passe-moi, petit oiseau noir du fleuve
au cou très long,
j'ai chez moi un cheval,
je te le donnerai, petit oiseau noir du fleuve
au cou très long.

L'oiseau prit le serpent.

Dès qu'il eut prit le serpent,
il arriva au milieu du fleuve.
La petite sœur dit à l'oiseau :

> *Laisse-le, laisse-le, petit oiseau du fleuve*
> *au cou très long,*
> *laisse-le, laisse-le, petit oiseau noir du fleuve*
> *au cou très long,*
> *c'est un dangereux serpent, petit oiseau noir du fleuve*
> *au cou très long,*
> *j'ai chez moi un cheval, petit oiseau noir du fleuve*
> *au cou très long,*
> *je te le donnerai,*
> *laisse-le, laisse-le, petit oiseau noir du fleuve*
> *au cou très long.*

L'oiseau le fit tomber dans l'eau.

Les serpents d'eau sont ses descendants.

Commentaire

Sans pouvoir affirmer comme une règle que, dans les sociétés lignagères d'Afrique Occidentale, les responsables des groupes réservent traditionel-lement un accueil relativement tolérant aux femmes 'étrangères' -captives de guerre par exemple-, on peut dire qu'en sens inverse, à l'arrivée de prétendants d'origine inconnue, l'accueil est plutôt hostile. En effet, les chefs de lignage et les pères de famille tiennent à préserver les coutumes matrimoniales élaborées au cours des générations et pratiquent différentes formes de mariage préférentiel (entre cousins croisés patri- ou matrilinéaux par exemple). Ces stratégies matrimoniales désavantagent les prétendants extérieurs au réseau.

L'importance de cet enjeu s'affirme également dans le témoignage des contes. Plusieurs séries de contes apparentés s'inspirent de ces préoccupations -le contrôle des désirs d'indépendance des femmes- et formulent des réponses idéologiques nuancées à cette question délicate.

Jean-Paul Eschlimann, qui a étudié cet ensemble de récits dans l'ethnie *anyi* de la Côte-d'Ivoire, dégage « trois grands types de malheur qui s'abattent sur les filles rebelles » auxquels correspondent deux attitudes des lignages concernés : « a) le non-soutien ou l'intervention trop tardive pour éviter le désastre ; b) le soutien effectif et efficace qui amène la réintégration de la fille dans son village et parmi les siens. » J.-P. Eschlimann souligne également que « les divergences et différences pertinentes, qui se révèlent entre les diverses catégories de contes, manifestent le caractère nuancé et modulé de la réaction des anciens à la résistance des femmes de leur entourage » (J.-P. Eschlimann, 1979, p. 517).

Dans d'autres corpus ethniques tel le *mende* (Sierra Leone) et le *bambara-malinké,* on trouve un troisième thème : la fille volontaire, après quelques années passées auprès du mari de la brousse, revient au village avec son enfant et avec les richesses reçues du mari surnaturel. Ce type de récit a souvent un caractère étiologique. (Cf. notre conte : « Le lion, sa femme et sa belle-mère »).

LA PETITE ORPHELINE AVEC DES POILS DE VACHE
ET SA GRANDE SOEUR

Voici ce que j'ai vu :
C'était une fille dont la mère était morte.
Elle restait avec la coépouse de sa mère.
Celle-ci ne faisait cuire que des bouses de vache
pour les donner à l'enfant.
C'était toujours ainsi
jusqu'au jour où des poils de vache poussèrent sur la fille.
Sa grande sœur était mariée à une distance comme d'ici à Diakha[1].
Un jour, l'orpheline décida de partir là-bas.
Elle prit la route,
elle arriva près des femmes qui puisaient de l'eau.
Or, elle avait soif, elle voulut boire.
Les femmes dirent : « Ote ta bouche de nos calebasses,
petite vache que tu es ! »
Elle chanta :

> *Gens d'ici, je ne suis pas une petite vache !*
> *Je ne suis pas une petite vache !*
> *Ma mère est morte,*
> *elle m'avait laissée à ma marâtre,*
> *celle-ci me fait cuire des bouses de vache.*
> *Je vais chez ma grande sœur à Diakhaba*
> *pour qu'elle m'enlève la peau de vache.*

Les femmes approchèrent l'eau de sa bouche.
Elle but et repartit.
Elle arriva chez d'autres femmes.
Elle voulut boire.
Les femmes dirent : « Ôte ta bouche des calebasses,
petite vache que tu es ! »

---

1. *Diakha* est un village habité par des Diakhankés, situé à une distance de kilomètres du village de Kabatekhenda d'où parle le conteur.

Elle répondit :

Gens d'ici, je ne suis pas une petite vache !
Je ne suis pas une petite vache !
Ma mère est morte,
elle m'avait laissée à ma marâtre,
celle-ci me fait cuire des bouses de vache.
Je vais chez ma grande sœur à Diakhaba
pour qu'elle m'enlève la peau de vache.

Les femmes lui donnèrent de l'eau également.
Elle partit.
Elle arriva encore chez d'autres, elle chanta la même chanson.
Elle continua sa route
jusqu'à ce qu'elle fût arrivée.
Dès que sa grande sœur l'aperçut,
elle dit : « Est-ce que celle-ci est ma petite sœur ? »
Elle se mit à pleurer.
Lorsqu'elle arriva, elle dit : Est-ce là ma petite sœur ? »
Elle pleura, elle pleura.
La grande sœur alla emprunter un petit couteau tranchant,
elle l'aiguisa encore,
elle rasa le corps de sa petite sœur,
puis elle l'enduisit d'huile,
elle le rasa encore
jusqu'à ce que le corps de l'enfant fût lisse.
C'est cette méchanceté des coépouses qui existe jusqu'à présent.

C'est cela que j'ai vu.

Commentaire

Ce conte fait partie d'un vaste ensemble traitant des malheurs des enfants orphelins de mère.
La solidarité entre parents de sang joue ici toutefois efficacement, la sœur aînée offrant le refuge que quémande sa cadette. On relève la mise en image originale de la régression à la condition animale. Ajoutons encore

que, si la relation entre sœurs du même père et de la même mère n'est pas absente des contes, elle en constitue rarement le thème majeur.

Il faut toutefois rappeler un conte où deux sœurs jumelles, pour ne pas se séparer, font vœux de s'abstenir du mariage.

En « thème mineur » on voit fréquemment la grande sœur secourue par sa cadette. Dans les versions bambara du conte de la jeune fille volontaire qui choisit un mari animal, c'est systématiquement la cadette qui l'aide à se débarasser du mari dangereux. A l'opposé, dans les contes malinké, ce même rôle de sauveur est tenu en règle générale par le frère cadet ; il en est ainsi dans les versions peul du conte.

FEMMES LÉGÈRES...
FEMMES SAGES...

UNE FILLE
QUI NE VEUT PAS FAIRE COMME LES AUTRES

Bien. Nous allons commencer ce conte.
Il s'agit d'une fille.
Quand les autres travaillent, elle refuse de travailler,
elle se couche et dort.
Toutes ses camarades achèvent leur travail.
Quand la nuit tombe et que ses camarades s'amusent,
elle ne veut pas s'amuser.
Cela dure jusqu'à minuit.
Quand minuit arrive, alors elle sort,
elle s'arrête et chante :

> *Un jeu, chaque jeu.*
> *Quand les gens s'amusent, je m'amuse.*
> *Quand les gens ne s'amusent pas, je m'amuse.*

Cela resta ainsi jusqu'au moment où une femme-génie vint.
Son enfant était mort.
Elle était en train de pleurer son enfant.
Elle trouva la fille en train de chanter :

> *Un jeu, chaque jeu.*
> *Quand les gens s'amusent, je m'amuse.*
> *Quand les gens ne s'amusent pas, je m'amuse.*

La femme-génie chanta :

> *Fille, ne vas-tu pas dormir ? Fille, ne vas-tu pas dormir ?*
> *Je pleure l'enfant d'or.*
> *Fille, ne vas-tu pas dormir ?*
> *Je pleure l'enfant d'argent.*
> *Nèn, nèn, nèn, enfant d'or !*
> *Nèn, nèn, nèn, enfant d'argent !*

La fille répondit :

Femme, ne me laisses-tu pas tranquille ?
Femme, ne me laisses-tu pas tranquille ?
Je suis heureuse dans le jeu.
Femme, ne me laisses-tu pas tranquille ?
Je suis trop prise par le jeu.
Nèn, nèn, nèn, être prise par le jeu !
Nèn, nèn, nèn, être heureuse dans le jeu !

La femme-génie la poursuivit, la poursuivit.
Elle courut entrer dans le groupe de ses camarades
et se faufila au milieu d'elles.
La femme-génie vint et s'arrêta.
Alors que toutes les camarades de la fille étaient couchées,
la femme-génie entra et trouva
la fille couchée parmi les autres,
elle les contrôla toutes, prit la fille et la tua.

J'ai laissé cela là où je l'ai vu.

Commentaire

L'héroïne de ce conte a pour idéologie affichée l'anticonformisme mais cette féministe avant l'heure en sera punie par la mort.

LES FILLES QUI REFUSENT DE SE MARIER

J'ai choisi ce conte : c'est l'histoire de deux filles.
Elles disaient qu'aucune d'entre elles ne se marierait.
Peu après, le beau-père de l'une vint.
La fille se cacha.
Alors qu'elle était cachée, un serpent l'a mordue.
Après avoir été mordue elle dit :

> *Unhun, unhun, chère amie, unhun, unhun,*
> *mes beaux-parents sont venus, unhun, unhun,*
> *moi-même, je me suis cachée, unhun, unhun,*
> *mon père n'a pas vu mon cadavre, unhun, unhun,*
> *ma mère n'a pas vu mon cadavre, unhun, unhun,*
> *unhun, unhun, chère amie, unhun, unhun.*

Vinrent alors les beaux-parents de l'autre.
Celle-ci s'empressa de partir avec les beaux-parents.
Alors, le cadavre de l'autre se transforma en tourterelle.
Bon, ils s'en allèrent.
La fille est partie, elle suivit son futur mari.
La tourterelle chanta :

> *Unhun, unhun, chère amie, unhun, unhun,*
> *la parenté de ton mari est venue, unhun, unhun,*
> *moi, je me suis cachée, unhun, unhun,*
> *mon père n'a pas vu mon cadavre, unhun, unhun,*
> *ma mère n'a pas vu mon cadavre, unhun, unhun.*
> *La parenté de ton mari est venue, unhun, unhun,*
> *toi, tu t'es empressée de les suivre, unhun, unhun,*
> *unhun, unhun, chère amie, unhun, unhun.*

Bon, ceci dit, la tourterelle partit.
Lorsque les beaux-parents de son amie arrivèrent,
la tourterelle se posa encore et chanta :

> *Unhun, unhun, chère amie, unhun, unhun,*

les parents de ton mari sont venus, unhun, unhun,
tu as dit que nous ne devions pas aller chez nos beaux-parents,
unhun, unhun, unhun.
Les parents de mon mari sont venus, unhun, unhun,
moi-même, je me suis cachée, unhun, unhun,
le serpent m'a mordue, unhun, unhun,
mon père n'a pas vu mon cadavre, unhun, unhun,
ma mère n'a pas vu mon cadavre, unhun, unhun,
les parents de ton mari sont venus, unhun, unhun,
toi-même tu as couru, unhun, unhun,
unhun, unhun, chère amie, unhun, unhun.

Là-dessus, la tourterelle partit.
Lorsque son amie entra dans la maison de son mari,
elle tomba soudainement et mourut.

Commentaire

L'appréhension ressentie par la jeune fille devant le mariage, devant le fait qu'elle doit quitter sa famille et son univers familier pour aller vers un 'ailleurs' peu connu est un thème qui se retrouve un peu partout en Afrique Occidentale et dans les rituels qui précèdent le mariage de même que dans le folklore verbal. La fiancée sait que la vie des femmes est rude ne serait-ce qu'en raison de la répartition tout à fait contraignante des tâches, établie par la tradition, la corvée d'eau, la cuisine, le ramassage du bois, l'éducation des enfants sont exclusivement son domaine et elle sait que pendant les premières années la famille de son mari l'observera pour voir de quoi elle est capable. Son conjoint est le plus souvent beaucoup plus âgé qu'elle, et la différence d'âge creuse encore davantage cette situation inégalitaire. Du point de vue sentimental elle peut être attachée à un premier ami de son âge dont elle sera, par la force des choses, séparée définitivement. Tous ces éléments -et d'autres encore- expliquent les contes où deux amies ou deux sœurs veulent par suite d'un vœu se soustraire à l'obligation du mariage. Mais une telle décision ne peut être suivie que par un dénouement tragique. L'individualisme n'est pas de mise et celles qui se révoltent se condamnent ; ou encore, comme dans un autre ensemble de contes, la jeune fille sera amenée à changer d'avis et à rejoindre la case de l'époux auquel sa famille l'avait promise. Dans notre conte survivent également le motif de la promesse non tenue qui justifie la mort de l'amie coupable.

Le personnage de la jeune fille qui craint le mariage est particulièrement fréquent dans les contes bambara-malinké. (Cf. Equilbecq, 1972, pp. 397-99 ; Sory Camara, vol. V, pp. 1018-41 ; Görög-Meyer, 1974, pp. 55-58 ; Meyer, 1987, pp. 196-200)

LES DEUX JOLIES SOEURS

Voici ce que j'ai vu :
Il y avait deux parents, deux sœurs.
Quand tu en voyais une, tu aurais dit que c'était l'autre.
L'une s'appelait Naanibaamaniyaa,
l'autre s'appelait Hindin.
C'est Hindin qui était l'aînée,
elle se maria.
Naanibaamaniyaa était la cadette,
elle disait qu'elle ne voulait pas de mari
à cause de sa beauté.
Puis elle se mit en route.
Elle voulait chercher son semblable,
quelqu'un qui serait beau comme elle
et qu'elle épouserait.
Quand elle arrivait dans un village,
on l'interrogeait :
> *Où vas-tu, Naanibaamaniyaa, où pars-tu, Naanibaamaniyaa ?*
> *Je vais chez Hindin, chez la femme Maure[1] Hindin !*
> *Tu es jolie, Naanibaamaniyaa,*
> *mais tu n'arrives pas à la beauté de Hindin,*
> *de Hindin la Maure !*

Ils lui dirent qu'elle était jolie
mais que sa grande sœur la dépassait.
Elle aiguisa alors un couteau.
Il pouvait même couper du vent.
Elle le prit avec elle.
Elle dit : « J'irai maintenant chez mon beau-frère
et si ce dernier dit que sa femme me dépasse,
je me trancherai moi-même la gorge. »

---

1. Les femmes maures sont de teint clair, aspect que valorisent les Malinkés dans leurs canons esthétiques.

Or le village était à une distance comme entre ici et Tamba[2] .

Quand elle arrivait dans un village, on l'interrogeait :

Où vas-tu, Naanibaamaniyaa, où pars-tu, Naanibaamaniyaa ?
Je vais chez Hindin, chez la femme Maure Hindin !
Tu es jolie, Naanibaamaniyaa,
mais tu n'arrives pas à la beauté de Hindin,
de Hindin la Maure !

Alors, elle continuait son chemin.

Dans chaque village où elle arrivait, c'était ainsi,
dans chaque village où elle arrivait, c'était ainsi,
dans chaque village où elle arrivait, c'était ainsi !

Elle arriva dans le village
où sa grande sœur était mariée.

Quand elle arriva sur la place publique,
les gens lui demandèrent :

Où vas-tu, Naanibaamaniyaa, où pars-tu, Naanibaamaniyaa ?
Je vais chez Hindin, chez la femme Maure Hindin !
Tu es jolie, Naanibaamaniyaa,
mais tu n'arrives pas à la beauté de Hindin,
de Hindin la Maure !

Elle continua son chemin, elle alla dans la maison.

Les enfants de sa sœur lui demandèrent :

Où vas-tu, Naanibaamaniyaa, où pars-tu, Naanibaamaniyaa ?
Je vais chez Hindin, chez la femme Maure Hindin !
Tu es jolie, Naanibaamaniyaa,
mais tu n'arrives pas à la beauté de Hindin,
de Hindin la Maure !

Elle entra,
elle s'arrêta auprès de son beau-frère,
elle dit : « Beau-frère, qui est la plus jolie, ma grande sœur
ou moi-même ? »

Il dit : « Tu es jolie, Naanibaamaniyaa,
mais tu n'arrives pas à la beauté de Hindin. »

Elle sortit le couteau.

On ne savait pas qu'elle avait un petit couteau dans sa calebasse.

Elle le sortit, elle se trancha elle-même la gorge.

Elle tomba là-bas.

---

2. Il s'agit en fait de la ville de Tambacounda, distante de plus de 200 kilomètres
du village du conteur.

C'est pour cela que les vieux disaient autrefois :
« Quand un parent vaut plus qu'un autre,
ne le dis pas en sa présence, ce n'est pas bon !
Si tu vois que l'un vaut plus que l'autre,
alors qu'ils sont de même mère et de même père,
c'est l'œuvre de Dieu.
Si tu vois que l'un a plus de chance que l'autre,
c'est l'œuvre de Dieu.
Si tu vois que l'un est plus joli que l'autre,
c'est l'œuvre de Dieu.
Celui qui sait cela et qui dit devant eux :
un de tes parents te dépasse en quelque chose,
ou bien un tel fait cela mieux que toi,
ou bien un tel est plus joli que toi,
celui-là ne fait pas une bonne chose. »

C'est ces façons de faire qui ont mis fin à cela.
C'est cela que j'ai vu.
— Tu as vu quelque chose !

Commentaire

Le thème de la rivalité entre sœurs (de même mère et de même père)
est extrêmement rare dans les contes bambara-malinké où la compétition se focalise sur les rapports entre coépouses. Dans la seconde version dont nous disposons, les deux jeunes femmes n'ont aucun lien de
parenté. (Cf. Görög et Diarra, 1979, p. 101-103). La conclusion du
conteur traduit une valeur-force de la société et constitue une leçon de
savoir vivre.

LES DEUX FILLES

Conte...
Je vais parler de deux coépouses.
L'une d'elle mourut en laissant une fille.
Celle-ci vivait auprès de sa marâtre.
Un jour en lavant la calebasse de sa marâtre, elle la cassa.
Sa marâtre lui dit d'aller la faire réparer,
qu'elle ne voulait pas une calebasse neuve mais la même.
La fille s'enfonça dans la brousse.
Sur son chemin elle trouva un plat de riz gras
qui lui demanda : « Qu'est-ce qui amène ici un être humain ?
— En voulant laver la calebasse de ma marâtre
celle-ci s'est cassée.
Elle m'a dit d'aller la faire réparer
elle ne veut pas une neuve mais la même. »
Le plat lui dit : « Continue ton chemin,
la paix est devant toi et derrière toi ! »
Elle continua et trouva du *to* qui se préparait tout seul
et qui lui demanda : « Qu'est-ce qui amène ici un être humain ?
— En lavant la calebasse de ma marâtre celle-ci s'est cassée
elle m'a dit d'aller la faire réparer
qu'elle ne veut pas une calebasse neuve mais la même.
— Continue ton chemin, la paix est devant toi
et derrière toi. »
Elle arriva au bord du fleuve et voulut se laver.
Faro[1] l'emporta et lui demanda de veiller sur ses petites carpes,
et laissa à côté d'elle un chat.
Si elle mange de ses carpes
le chat irait la dénoncer.
Elle resta une semaine sans en manger.
Elle balayait les déchets, les jetait sur le tas d'ordures,
elle ne mangeait rien.

1. Génie de l'eau, principe bénéfique.

A son retour, Faro lui remit cinq œufs et lui dit :
« Quand tu arriveras à l'entrée du village, tu en casseras un.
Arrivée au milieu du village, tu en casseras un autre.
Dans la maison de ta mère tu en casseras un troisième. »
Puis Faro prit la calebasse, prononça quelques formules
et les lui apprit.
Elle quitta alors le village de Faro.
Arrivée près du village, elle cassa un œuf,
un troupeau de bœufs est apparu.
Au milieu du village elle cassa un second œuf,
un troupeau de bœufs est apparu.
Au milieu du village elle cassa un second œuf,
un troupeau de chèvres est apparu.
Elle avança et cassa un troisième œuf,
des moutons sont apparus.
Arrivée dans sa famille en cassant un œuf,
une poule, de l'or, de l'argent et d'autres choses apparurent.
A l'intérieur de la maison elle cassa le dernier œuf,
une grande quantité d'or apparut.
Alors la fille de sa marâtre s'adressa à sa mère :
« Mère je vais casser la calebasse à mon tour
et je vais aller en brousse pour la faire réparer. »
Sa mère répondit : « Reste ici, cela nous suffit. »
Elle se mit à pleurer et dit qu'elle voulait partir.
Sa mère acquiesca.
Elle cassa alors la calebasse de sa mère
et celle-ci lui dit :
« Va chercher ma calebasse je ne veux pas une neuve,
je veux la même... »
La fille partit et trouva le plat du riz gras sur son chemin
qui se prépara tout seul.
— « Oh, le riz gras se prépare tout seul dit-elle.
— Passe, les autres sont passées sans rien dire. »
Elle continua son chemin et rencontra le *to* qui se prépara tout seul.
— « Comment ! le *to* se prépare également tout seul -fit-elle- .
— Passe, les autres sont passées sans rien dire.
Elle continua à marcher et voulut se laver
mais Faro l'emporta et elle lui expliqua ce qu'elle cherchait.
Faro lui confia ses carpes
et plaça un chat à côté d'elle
il devait aller la dénoncer si elle mangait de ses carpes.

Une par une elle mangea les carpes.
Le jour de son départ Faro lui donna cinq œufs.
Lorsque tu quittes ce village, tu casseras un œuf.
A la lisière de ton village tu casseras un autre.
Arrivée dans ta famille, tu en casseras un troisième,
devant la case de ta mère tu en casseras le quatrième,
à l'intérieur de la maison de ta mère tu casseras le dernier,
après avoir fermé la porte sur toi et ta mère.
Faro lui apprit la formule qu'elle devait prononcer
et elle partit.
Quand elle cassa le premier œuf, un troupeau de mouton apparut.
Quand elle cassa le second, un troupeau de chèvres apparut.
Quand elle cassa le troisième, un troupeau de vaches apparut.
Quand elle cassa le quatrième dans la maison
l'argent apparut.
Arrivée au fond de la case, elle s'enferma avec sa mère
même l'air ne pouvait pénétrer à l'intérieur.
Elle cassa le cinquième œuf.
Des serpents et des caïmans apparurent.
Ils mordirent la fille qui en mourut.

Je laisse le conte là où je l'ai pris.

Commentaire

Ce conte est très répandu en Afrique comme en Europe. Un certain
nombre de versions africaines ont fait l'objet d'une étude de Geneviève
Calame-Griaule (Calama-Griaule, 1987, pp. 177-206) dont l'hypothèse
de travail est la suivante : il s'agit d'une pièce d'un ensemble plus large
de récits oraux qui traitent du passage de l'enfance à l'âge adulte et de
l'intégration dans le groupe social. Ce passage va de pair, dans la plupart
des sociétés africaines, avec des actes rituels institutionalisés (l'initiation
des adolescents). Il convient, par conséquent, d'appeler les récits qui
évoquent ce processus de « contes initiatiques ». En effet, d'une manière

transposée, les séquences de ces contes rappellent les étapes du rituel initiatique : la séparation d'avec la famille, le séjour dans l'isolement, la mise à l'épreuve, la réception d'un enseignement, la mort et la renaissance symbolique, le retour et la réintégration dans le groupe familial et plus largement dans la société.

Nous connaissons plusieurs versions bambara du conte, on peut même en distinguer deux sous-catégories. Dans la première -la plus classique- dans la partie introductive du récit, une orpheline casse accidentellement un objet ménager, le plus souvent une calebasse, propriété de sa marâtre. Celle-ci, offensée, exige la réparation de l'objet et précise les conditions de la réparation : l'héroïne doit partir seule, dans une contrée lointaine, le plus souvent à une mare (représentation d'un autre monde). Dans la partie introductive de l'autre ensemble, plusieurs jeunes filles en âge de se marier partent à la recherche de calebasses pour compléter leur dot, leurs « affaires de mariage ». Dans les deux types de récits l'héroïne fait des rencontres et sera mise à l'épreuve à son insu (Cf. Görög-Karady, 1980, pp. 18-33)

Ces rencontres représentent des étapes de la quête initiatique. Devant des spectacles étranges ou absurdes, l'héroïne ne doit manifester ni étonnement ni dérision. Elle doit se montrer courageuse, discrète et polie dans les circonstances les plus insolites.

L'épisode central du voyage est le séjour chez Faro, maître de l'eau, personnage qui prend une place importante dans la mythologie et dans la religion bambara. Les œufs, cadeau de Faro, sont l'image de la plénitude dont sortent des richesses : troupeaux, argent et or.

Si les conduites des deux protagonistes sont incarnées en deux personnages différents, on peut penser que dans le contexte initiatique africain, il s'agit en fait de deux modèles de comportement possible pour le même individu.

Dans son étude, Geneviève Calame-Griaule insiste sur l'ambiguïté du personnage de la coépouse - la marâtre - qui, tout en jouant le rôle de l'agresseur, représenterait au niveau initiatique la génération supérieure, celle des parents qui envoient les jeunes gens au voyage initiatique. Le deuxième volet du récit présente la mauvaise fille qui se conduit systématiquement à 'l'envers'.

LA FILLE QUI EST FIDÈLE À SON AMOUREUX

Voici ce que j'ai vu :
Il y avait un homme avec son unique épouse,
ils n'avaient eu qu'un seul fils.
Celui-ci devint grand.
Quand ils avaient du riz
et qu'ils l'avaient mangé, ils laissaient des restes.
Alors le fils allait les jeter dans le fleuve,
il allait les jeter dans le fleuve.
Les poissons et les crocodiles les mangeaient.
Il faisait ainsi tous les jours.
Un jour, un grand crocodile arriva et dit : « Viens ici ! »
Le jeune homme répondit : « Non, je ne partirai pas. »
Le crocodile dit : Partons chez nous !
— Non, je ne partirai pas,
vous allez me manger !
— Attends, nous ne te mangerons pas,
tu nous nourris chaque jour,
comment te mangerions-nous ? »
Alors il s'assit sur le dos du crocodile.
Celui-ci l'emporta dans leur village.
Il vit un vieux crocodile qui déroulait sa barbe
pour s'y asseoir.
Les jeunes crocodiles dirent . « Un homme est venu, un homme
est venu ! »
Celui qui l'avait amené dit : « Il n'arrivera rien à lui
chaque jour, il nous nourrit là-bas. »
Puis il s'adressa au jeune homme :
« Quand ils te demanderont ce que tu veux,
tu diras : prenez une boucle d'or et mettez-la à mon oreille,
c'est cela que je veux. »
Il partit alors et passa la journée là-bas.

Les vieux crocodiles lui dirent : « Toi, jeune homme, que veux-tu ?
— Que vous me mettiez une boucle d'or à mon oreille !
C'est cela que je veux ! »
Ils firent ce qu'il demanda,
et ils dirent : « Quand un être parlera,
que ce soit un oiseau ou une personne,
tu comprendras sa parole. »
Quand un être quelconque parlait dans le monde,
il pouvait comprendre.
En ce temps, il aimait une fille.
Cette fille, elle n'a pas sa pareille,
depuis que Dieu m'a créé,
c'est la seule que j'ai vue aussi belle.
Un jour, ils étaient couchés, ils étaient couchés.
Or ce jeune homme était un chasseur.
Des souris arrivèrent, un mâle et une femelle.
Il y avait alors des arachides entassées sous le lit.
La femelle dit à son mâle : « J'ai envie d'arachides,
va m'en chercher, que je mange des arachides !
— Et toi donc, tu ne peux pas aller en chercher ? »
La femelle dit : « Si tu vois que je ne pars pas,
tu sais que je suis enceinte,
si je touche à la corne[1], je vais avorter.
— Pars donc !
— Je ne partirai pas !
Si j'avorte,
ce sera toi qui l'auras fait ! »
Le jeune homme comprit cela, et il rit.
La fille lui dit : « Hé, que s'est-il passé ?
— Rien ne s'est passé ! »
La fille se redressa, elle s'assit,
elle dit : « Que s'est-il passé ?
— Rien ne s'est passé !
— Quelque chose s'est passé
que personne n'a jamais fait ! »

---

1. Il s'agit d'une corne qui sert de protection pour le chasseur. L'activité cynégétique entraîne avec elle un certain nombre de rites et d'objets protecteurs, car partir à la chasse c'est aussi affronter la « grande brousse ». *(wulabaa)*

Elle s'assit, elle l'interrogea, elle l'interrogea.

Le jeune homme dit : « Il n'y a rien. »

La fille dit que sa tête était enflée.

Le jeune homme lui dit encore : « Rien ne s'est passé ! »

La fille dit : « Mensonge !

Si tu ne m'aimes pas, dis que tu ne m'aimes pas et pars !

— Ce n'est pas cela,

si tu vois que j'ai ri

c'est parce que des souris étaient venues voler des arachides

sous la natte,

la femelle avait dit à son mâle d'aller lui voler des arachides,

le mâle avait dit : et toi, tu n'y vas pas ?

— La femelle avait dit : si tu vois que je ne pars pas

c'est parce que j'avorterai si je touche à la corne.

Dès qu'il eut dit cela,

l'homme mourut d'un coup.

— Hé, comment cela va t'il se faire ? »

Quand le jour se leva,

sa mère et son père se jetèrent sur la route[2] ,

ils ne se relevèrent plus,

c'était leur unique enfant !

Quand les crocodiles apprirent cela,

un crocodile se transforma en marabout.

Il arriva là-bas, il dit : « Dieu ! Que s'est-il passé ?

Il y a beaucoup de bruit, moi, je suis un étranger,

sinon, je ne serais pas arrivé ici. »

On lui dit : « Hé, quelque chose est arrivé ici !

Il y a un homme avec son unique épouse,

leur fils unique, un jeune homme, vient de mourir !

— C'est vrai, quelque chose est arrivé ! »

Le marabout dit : « Y-a-t-il des jeunes gens par ici ?

Des jeunes gens dirent : Nous sommes prêts, nous ici ! »

Il dit que trois jeunes gens en bonne santé aillent chercher du bois.

Ils allèrent chercher du bois,

ils prirent les trois fagots et les entassèrent.

Il y mit le feu.

Il dit : « Celui qui veut que le jeune homme se relève,

qu'il coure, qu'il saute par-dessus le feu. »

---

2. C'est un geste de désespoir.

Le père dit qu'il allait sauter le premier.
Sa mère dit : « Cela n'est pas possible !
— Patiente !
— Tu mens, cela n'est pas possible ! »
Alors le père se mit à courir,
il voulut sauter par dessus le feu,
le feu lui lècha les oreilles,
il se retira
il dit : « Dieu ! »
La femme se fâcha.
La mari dit : « Attends-moi maintenant ! »
Il repartit encore, arriva près du feu,
puis recula.
Il fit ainsi trois fois.
La mère dit : « Attends-moi,
toi, tu ne veux pas que ton fils se relève. »
Alors la mère arriva,
elle courut et arriva près du feu,
elle se précipita en arrière, elle dit : « Dieu ! »
Elle courut de nouveau,
elle fit ainsi trois fois.
Elle ne put rien faire non plus.
La jeune fille sortit,
elle dit : « Marabout, si tu ne trouves pas cela extraordinaire,
je vais essayer à mon tour
— Tu le peux ! »
La fille courut alors,
elle sauta par dessus ce feu.
Alors le jeune homme éternua, il respira,
il dit : « Dieu ! J'ai dormi longtemps ! »
C'est pour cela, pour ceux qui le savent,
l'amour n'est pas petit[3],
la mère et le père n'ont rien pu faire
mais son amie a sauté par-dessus le feu.
Alors elle s'installa chez lui tout de suite et dit :
« Si je dois mourir, c'est chez lui que je m'installe,
si je ne dois pas mourir, c'est ici que je m'installe. »

C'est cela que j'ai vu.

---

3. Cela veut dire que l'amour est une grande chose puisqu'il a fait réussir à la fille l'épreuve du feu.

Commentaire

Le conte que la classification internationale retient sous le titre « Les langages des animaux » (AT670) connaît une large diffusion en Afrique noire. Denise Paulme en a recensé une dizaine de versions et conclut qu'excepté une version ashanti, tous les autres récits enseignent au mari qu'il ne doit pas, au péril de sa vie, révéler son secret à sa femme.

Dans notre conte on retrouve ce schéma mais le récit rebondit et dans la seconde partie l'image qu'on pourrait retirer de la relation entre l'homme et la femme se modifie. L'épreuve du feu que ses proches doivent subir pour ramener à la vie le garçon décédé effraient son père et sa mère ; la seule personne qui l'ose affronter est justement son amie. Et le narrateur de conclure : « l'amour n'est pas petit... » et à ses paroles finales s'ajoutent celle de la fille qui dit sa détermination de partager la vie de son compagnon. De la sorte le conte, qui d'habitude, présente la femme dans sa nature maléfique et enseigne aux hommes la méfiance à son égard, se transforme en un hymne d'amour. (Pour l'interprétation d'un certain nombre d'autres versions, cf. Paulme, 1976, pp. 61-69)

L'ENFANT DE BRAISE

Voici ce que j'ai vu :
Ce n'est pas aujourd'hui que le monde a été créé,
il ne finira pas non plus aujourd'hui.
Il y avait une femme,
depuis que son mari l'avait épousée,
elle n'avait pas eu d'enfant.
Cela la préoccupait beaucoup.
Elle ne savait plus quel moyen employer.
Elle alla chez les griots,
elle s'approcha des marabouts.
Dieu ne lui donna pas d'enfant.
Un jour, elle était en train de faire la cuisine, le soir,
elle venait de se laver, c'était le crépuscule,
elle se séchait au-dessus de son feu ;
alors une braise étincela, étincela, étincela, étincela.
Elle était brillante.
La femme dit : « Dieu ! cette braise est jolie !
Que Dieu en fasse un enfant pour moi aujourd'hui ! »
A cette époque, Dieu transformait vite les choses,
tu n'avais qu'à désirer quelque chose, il te la faisait.
Elle prit la braise.
Celle-ci dit : « S'il n'y avait pas la manière d'être
des gens de maintenant
je deviendrai un enfant pour toi !
— Que te ferai-je ?
Je ne te frapperai pas, je ne ferai rien !
— Ha, tu vas aller dire aux gens
que c'est du feu qui est devenu pour toi un enfant.
— Je ne le dirai pas !
— Mais le jour où tu diras que je suis du feu
je retournerai chez moi ce jour là.
— Bon ! »

Elles se mirent d'accord là-dessus.
La braise se changea en enfant.
Elle devint un joli garçon.
Les gens interrogeaient la femme.
Les vieilles femmes l'interrogèrent.
Elle ne dit rien à personne.
Les vieillards l'interrogèrent.
Tout le monde !
Elle disait qu'elle ne savait pas comment elle avait eu cet enfant.
On l'interrogeait, elle ne dit rien à personne.
C'était ainsi.
Puis vint le temps pour jouer.
Quand le garçon sortait du village,
on lui disait « Enfant, laisse cela, enfant, laisse cela ! »
Un jour, une petite vieille femme alla chez la femme.
Elle l'interrogea :
« Hé, ma fille, cet enfant n'aurait-il pas de nom
pour qu'on puisse dire son nom aux gens ?
Comment tu as eu ton enfant,
dis-le-moi !
— Je ne le dirai à personne. »
La vieille lui dit de bonnes paroles, lui fit du riz
et le lui donna.
Dès que la femme mangea ce plat, elle fut troublée.
Elle lui dit la parole secrète.
Elle dit : « J'avais supplié Dieu.
Il m'a fait un enfant d'une braise,
son nom est Etincelle.
— Yé, c'est cela ?
— Oui !
— Il n'y a pas de problème !
— Mais, ne le dis à personne !
— Dieu ! Ma petite-fille, je ne le dirai à personne. »
Dès qu'elle sortit là-bas,
elle alla le dire aux petits garçons,
elle alla le dire à tous les adultes.
Le lendemain, il s'amusait avec ses camarades, ils s'amusaient.
Quand il mettait sa main sur quelqu'un,
celui-ci disait « Je le dirai, je le dirai !
— Laisse cela !

— Je le dirai !
Laisse-le ! »
Quand il prenait le jouet de quelqu'un
c'est cela qu'on lui disait.
Quand il frappa quelqu'un sur la tête,
celui-ci dit : « Etincelle, laisse cela ! »
Tous dirent : « Etincelle, laisse cela, Etincelle, laisse cela ! »
Il prit tous ses jouets, les rassembla,
il alla se coucher devant la case de sa mère et chanta :

> *O ma mère, qui a dit mon nom aux vieillards,*
> *mon nom Etincelle ?*
> *O ma mère, qui a dit mon nom aux garçons,*
> *mon nom Etincelle ?*
> *O ma mère, qui a dit mon nom aux vieilles femmes,*
> *mon nom Etincelle ?*
> *Mon nom Etincelle ?*
> *Mon nom Etincelle ?*

La mère se coucha contre le mur, se mit par terre,
elle se releva, lui demanda pardon.
Mais l'enfant rapetissait.
Il vint, il tourna autour de sa mère,
la mère pleura.
Il chanta encore le chant :

> *O ma mère, qui a dit mon nom aux vieillards,*
> *mon nom Etincelle ?*
> *O ma mère, qui a dit mon nom aux garçons,*
> *mon nom Etincelle ?*
> *O ma mère, qui a dit mon nom aux vieilles femmes,*
> *mon nom Etincelle ?*
> *Mon nom Etincelle ?*
> *Mon nom Etincelle ?*

Dès qu'il eut chanté cela, il sauta,
il se mit dans le feu, il brûla et s'éteignit.
Il devint une braise, la cendre le recouvrit.
C'est cela qui a mis fin au désir.
Autrefois quand tu désirais quelque chose,
Dieu te faisait cela.
Mais c'est cet événement qui a mis fin à cela.

C'est cela que j'ai vu.

Commentaire

La stérilité est la plus grave calamité qui puisse affecter une femme et elle est considérée comme la source principale des malheurs féminins. Les femmes stériles cherchent par tous les moyens une guérison : traitements, sacrifices, recettes.

On connaît le conte présentant la femme stérile qui se rend chez un marabout ou chez une vieille femme- ces deux auxiliaires sont en distribution complémentaire- pour l'aider à sortir de sa situation désespérante. L'auxiliaire l'aide et la femme aura un enfant fabriqué à partir du beurre de karité. Mais, en raison d'une rupture d'interdit l'enfant artificiellement fabriqué périra. Dans d'autres contes, comme le nôtre, la femme demande un miracle à Dieu : transformer un végétal en enfant (un igname, un noyau d'arbre, des fruits de fromager). La plupart de ces contes aussi se terminent mal : la femme ne tient pas la promesse de discrétion et perdra son enfant. Le plus souvent c'est une vieille femme, parfois une coépouse- qui réussit à arracher le secret de la jeune femme. Nous connaissons une seule version où la femme stérile pourra garder son enfant d'origine exceptionnelle. (Meyer, 1987, pp. 104-106)

LES ENFANTS ÉCHANGÉS

Il y avait un roi qui avait deux épouses
l'une était la favorite, l'autre la mal-aimée.
Les deux épouses accouchèrent en même temps.
Les vieilles femmes qui les avaient assistées
avaient échangé les nouveaux-nés.
Les enfants grandissaient, ils se tenaient assis,
ils marchaient à quatre pattes,
ils apprenaient à marcher,
ils apprenaient à parler.
Un jour ils demandèrent à la préférée
de leur chanter pour danser.
La préférée dit
qu'elle ne connaissait pas de chansons
et les envoya voir la mal-aimée.
Les enfants demandèrent à la mal-aimée de chanter.
La mal-aimée dit qu'elle chanterait volontiers
mais qu'ils devaient revenir le soir.
Les enfants revinrent le soir :
« Nous sommes revenus pour les chansons.
— Allons à l'ombre du mur, répondit la mal-aimée. »
Il s'y rendirent et la mal-aimée chanta :

> Oh petite Namunalen ! Oh Famusa !
> Oh Namunalen ! Oh mon enfant !
> Oh petite Namunalen ! Oh Famusa !
> On a mit le feu au grenier d'haricots du roi
> Afin que je parle...
> Je n'ai dit mot...
> On a mit le feu au panier du mil du roi
> Afin que je parle...
> Je n'ai dit mot...
> On a percé de lance le poulain du roi

Afin que je parle...
Je n'ai dit mot
On a remplacé le garçon par la fille
Afin que je parle ...
Je n'ai dit mot...
Oh petite Namunalen ! Oh Famusa !
Oh petite Namunalen ! Oh mon enfant !

Les enfants dansèrent pendant longtemps
puis ils rentrèrent à la maison.
Le lendemain ils demandèrent de nouveau à la préférée
de chanter.
La préférée les envoya encore chez la mal-aimée.
Les enfants retournèrent chez celle-ci.
« Chante pour nous, nous voulons danser.
— Volontiers, allons à l'ombre du mur,
allons, là-bas. »
Ils s'y rendirent et elle chanta :

Oh petite Namunalen ! Oh Famusa !
Oh Namunalen ! Oh mon enfant !
Oh petite Namunalen ! Oh Famusa !
On a mit le feu au grenier d'haricots du roi
Afin que je parle...
Je n'ai dit mot...
On a mit le feu au panier du mil du roi
Afin que je parle...
Je n'ai dit mot...
On a percé de lance le poulain du roi
Afin que je parle...
Je n'ai dit mot...
On a remplacé le garçon par la fille
Afin que je parle...
Je n'ai dit mot...
Oh petite Namunalen ! Oh Famusa !
Oh petite Namunalen ! Oh mon enfant !

Un chasseur qui partait en brousse
les surprit dans leur cachette.
Il les regarda longtemps, il écouta la chanson.
Qu'est-ce que cela veut dire, se demanda-t-il ?

Puis il partit informer le roi.
« Roi, dit-il, tes enfants vont voir la mal-aimée
pour qu'elle chante pour eux.
Cache-toi un jour pour les voir.
— Où vont-ils ? »
Le chasseur expliqua.
Le roi partit, il se cacha, et il les épia.
Les enfants dirent à la mal-aimée de chanter.
« Venez, on y va, répondit-elle. »
Ils partirent.
La mal-aimée s'assit et se mit à chanter.

> *Oh petite Namunalen ! Oh Famusa !*
> *Oh Namunalen ! Oh mon enfant !*
> *Oh petite Namunalen ! Oh Famusa !*
> *On a mit le feu au grenier d'haricots du roi*
> *Afin que je parle...*
> *Je n'ai dit mot...*
> *On a mit le feu au panier du mil du roi*
> *afin que je parle...*
> *Je n'ai dit mot...*
> *On a percé de lance le poulain du roi*
> *Afin que je parle...*
> *Je n'ai dit mot...*
> *On a remplacé le garçon par la fille*
> *Afin que je parle...*
> *Je n'ai dit mot...*
> *Oh petite Namunalen ! Oh Famusa !*
> *Oh petite Namunalen ! Oh mon enfant.*

Le roi écouta la chanson, il secoua la tête, il s'en alla.
A son retour, il fit battre le tambour
et fit rassembler tout le village.
Quand tout le monde fut là, il demanda :
« Quelles sont les vieilles femmes
qui ont assisté à la naissance de ces deux enfants ? »
Les vieilles femmes avancèrent : « C'est nous, c'est nous. »
Il dit alors aux vieilles qui avaient assisté ses épouses
de se mettre de côté.
Elles se mirent toutes de côté.

Il demanda alors
à celles qui avaient échangé les enfants de se présenter
car il voulait les gratifier d'une grande récompense.
Toutes les vieilles, qui avaient participé à l'échange
aussi bien que celles qui n'y avaient pas participé
dirent toutes :
« Roi, c'est nous qui les avons échangés,
c'est nous qui les avons échangés !
Comment peut-on admettre que la préférée ait une fille
et la mal-aimée un garçon, on ne peut pas admettre cela.
C'est nous qui les avons échangés.
— Vous avez fait cela, dit le roi,
on doit vous remercier,
vous avez accompli un bon acte. »
Le roi fit mettre d'un côté les vieilles
qui ont échangé les enfants
et il fit mettre de l'autre côté
celles qui n'ont pas participé à l'échange des enfants.
Il ordonna à ses serviteurs d'allumer un feu dans un trou
et d'attendre qu'il y ait beaucoup de braise.
Il avait fait mettre de l'or en tas sur une natte
au dessus du feu
et dit aux vieilles qui avaient échangé les enfants
de venir prendre l'or.
Alors, elles se précipitèrent, chacune voulant être la première.
Elles tombèrent toutes dans le trou
et elles ont trouvé la mort.
Depuis ce jour
on n'échange plus les nouveaux-nés au moment de leur naissance.
Autrefois, on remplacait le fils de la mal-aimée par
la fille de la favorite.
Cela arrivait autrefois dans le monde.

Là où j'ai pris le conte, là je le remets.

Commentaire

La jalousie entre les coépouses est un des thèmes principaux des contes bambara-malinké. Comme dit le dicton « La jalousie la moindre, entre coépouses, a la couleur d'indigo foncé ». (Cf. Mabendy, 1966, p. 20). La langue bambara réserve des appellations spécifiques à l'épouse favorite et à l'épouse mal-aimée dont la rivalité se cristallise souvent sur leur fécondité respective. L'attrait sexuel et esthétique d'une part, la fécondité d'autre part, représentent les deux atouts majeurs dans la compétition matrimoniale. C'est grâce à eux que s'établissent les rapports de force entre coépouses.

Comme dit R. Luneau, « chaque femme cherche à s'assurer les bonnes grâces du mari et, pour ce faire, elle va auprès des devins et des marabouts de toute sorte afin qu'ils lui donnent la recette miraculeuse (amulettes et talismans, poudre à faire boire au mari,... qui la fera préférer à toutes les autres épouses. » (Luneau, 1974, p. 556)

R. Luneau cite des statistiques relatives à la polygamie. Ainsi en 1970, dans le district dont fait partie Beloko, sur 111 mariages 110 prennent l'option polygamique, et l'auteur d'ajouter : « la femme en l'occurence n'a guère de voix au chapitre ». (Luneau, 1974, p. 547)

LES TROIS VIEILLES MÉCHANTES

Petit conte, petit conte.
Un chef était marié à une femme
qui était lépreuse.
Il n'avait que cette seule épouse.
Trois vieilles femmes vinrent.
L'une dit : « Si ta femme arrive à prendre un pilon,
à la laisser tomber, le remonter et le laisser tomber,
je balayerai votre cour avec mes fesses. »
Elle partit.
Une autre vieille vint dire :
« Chef, si ta femme arrive à prendre un pilon,
à le laisser tomber, le remonter et le laisser tomber,
je mettrai du feu sur ma tête et me promènerai. »
Elle partit.
La dernière vieille vint dire :
« Chef, si ta femme arrive à prendre un pilon,
à le laisser tomber, le remonter et le laisser tomber,
je puiserai de l'eau avec un panier pour remplir votre canari. »
L'épouse lépreuse est restée avec son mari.
Une petite vieille vint.
La femme du chef prit le pilon, l'enfonça pour écraser le mil,
puis elle le vanna, le remit dans le mortier et l'écrasa encore.
Elle l'arrangea pour cuire du *to* et s'exclama : « N'ai-je pas réussi ? »
La vieille balaya l'endroit avec ses fesses.
La deuxième vieille vint.
La femme prit le pilon,
le laissa tomber, écrasa le mil et le laissa tomber encore.
Elle dit : « Le mil est réduit en poudre. »
Elle le sortit et le cuisina.
La vieille mit sur sa tête un fourneau brûlant et se promena.
La troisième vieille vint.

La femme du chef mit du mil dans le mortier,
laissa tomber le pilon, le remonta et le laissa tomber encore,
puis elle fit du *to*.
Alors la vieille puisa de l'eau avec un panier.
La première balayait la cour avec ses fesses,
son derrière fut écrasé jusqu'à ce qu'elle n'en eût plus.
La seconde, sa tête fondit, elle en mourut.
La troisième, le froid l'attaqua, elle aussi mourut.

J'ai laissé le conte là où je l'ai trouvé.

Commentaire

Ce conte offre également une leçon morale : les vieilles méchantes (sont
elles jalouses, parce que frustrées de leur féminité ?) trouveront la punition
méritée. Notons, à propos de l'épouse du chef, qu'il est rare de voir dans
les contes une lépreuse ou un lépreux dans une position de favorite.

LA GRAND-MÈRE QUI MANGE SES PETITS—ENFANTS

Voici ce que moi aussi j'ai vu.
Le monde n'a pas été créé aujourd'hui,
le monde ne finira pas aujourd'hui.
C'était une femme, elle avait des enfants.
A cette époque, quand les femmes avaient mis au monde des enfants,
elles allaient les confier à leur grand-mère.
Cette femme donc commença à avoir des enfants,
elle eut un premier enfant.
Dès qu'elle l'eut enlevé de son sein,
elle l'emmena chez sa mère.
Après l'avoir emmené chez sa mère,
elle eut encore quatre autres enfants.
C'est toujours ainsi qu'elle faisait.
Elle disait à son mari : « Mon mari, je vais aller rendre visite
à mes enfants, je vais les voir. »
Le mari disait : « Oui, pars leur rendre visite maintenant ! »
Chaque fois qu'elle partait là-bas,
elle disait : « Ma mère, je suis venue rendre visite à mes enfants.
Sa mère répondait : « Mais ils ne sont pas ici maintenant,
ils viennent de partir pour chercher du bois !
— Mais, je suis pressée, il n'y a personne d'autre que moi là-bas
pour préparer le repas de midi et du soir,
je suis pressée, je vais partir là-bas,
quand ils viendront, tu les salueras ! »
Or, pendant ce temps, cette femme faisait ainsi :
elle leur coupait la tête,
elle coupait la tête de chaque enfant qui venait et elle le mangeait.
Elle mettait le crâne dans un van usé pour sécher.
Bon, elle avait fait ainsi
et elle avait mangé tous les enfants.

Bon, sa fille allait toujours là-bas,
mais elle ne voyait jamais ses enfants.
Sa mère disait : « Ils sont allés au marigot,
ils sont partis chercher du bois.
— Hé, ma mère, on ne fatigue pas ainsi son petit-fils,
moi je viens ici,
je ne vois jamais aucun de mes enfants,
quand tu ne dis pas qu'ils sont allés au marigot,
tu dis qu'ils sont partis chercher du bois,
ne se reposent-ils donc jamais ici ?
— Je te l'ai dit, ils sont partis là-bas, tes enfants. »
Un jour, le mari lui-même se mit en route,
il vint et dit : « Belle-mère, je suis venu rendre visite
à mes enfants !
— Hé, mais ils ne sont pas ici !
— Aujourd'hui, je les verrai ! Je les verrai aujourd'hui !
— Ils ne sont pas ici !
— Où qu'ils soient, là où ils se trouvent maintenant
dis-le moi, je partirai là-bas moi-même,
j'irai à leur rencontre.
S'ils sont partis chercher du bois, dis-le moi,
que j'aille les suivre. »
Alors la grand-mère se rendit compte qu'il ne s'en irait pas,
qu'il était sérieux.
Elle chercha les crânes des enfants dans le van usé,
elle revint en traînant ses pieds.
Elle vint et les déposa.
Dès que l'homme vit cela,
il eut un haut-le-cœur,
il dit : « Dieu ! » Il dut mettre un lien autour de sa tête[1].
Alors la grand-mère prit un crâne.
L'homme à son tour saisit son arc et dit :
« Tu me donnes mon fils, donne-le moi ! »
L'homme prit l'arc, il chanta :

Belle-mère, donne-moi mon Yulu[2],

1. Mettre un lien autour de sa tête est une pratique thérapeutique courante contre les maux de tête.

2. Le père cite le nom de ses enfants.

donne-moi mon Yuluyala, ma belle-mère,
donne-moi Tiiti,
donne-moi Tiiti-soxona, ma belle-mère,
donne-moi Tambakurujambaa,
donne-moi Kuruyexebaa, ma belle-mère !

La femme prit une tête, celle du premier enfant.
Elle dit :

Mon gendre, voici la tête de ton Yulu,
voici la tête de ton Yuluyala, mon gendre,
voici la tête de Tiiti, la tête de Tiitisoxonaa,
voici la tête de Tambakurujambaa,
voici la tête de Kuruyexebaa, mon gendre !

L'homme mit un lien autour de sa tête, il chanta :

Belle-mère, donne-moi mon Yulu,
donne-moi mon Yuluyala, ma belle-mère,
donne-moi Tiiti,
donne-moi Tiitisoxonaa, ma belle-mère,
donne-moi Tambakurujambaa,
donne-moi Kuruyexebaa, ma belle-mère !

L'homme tendit la corde de son arc,
il tira dans un œil de la vieille femme, elle se mit à gémir.
Il dit : « Tu n'as encore rien vu, cela n'est rien ! »
Il l'interrogea encore, il chanta :

Belle-mère, donne-moi mon Yulu,
donne-moi mon Yuluyala, ma belle-mère,
donne-moi Tiiti,
donne-moi Tiitisoxonaa, ma belle-mère,
donne-moi Tambakurujambaa,
donne-moi Kuruyexebaa, ma belle-mère !

Elle dit :

Mon gendre, voici la tête de ton Yulu,
voici la tête de ton Yuluyala...

La douleur la saisit.
Il lui perça son autre œil, ses yeux furent remplis de sang.
Dès qu'il chanta,
elle se mit à tâter les crânes des enfants par terre,

elle ne voyait plus.

L'homme paya aussi sa dette, il tua la vieille femme,
il tua sa belle-mère.

A son retour il raconta à sa femme ce qui s'est passé !
Celle-ci aussi éclata en sanglots.

C'est pour cela, même aujourd'hui, mais pas partout,
quiconque mange[3] les os de son petit-fils ne pourra pas s'en tirer.

C'est cela que j'ai vu.

3. Manger est un terme du vocabulaire de la sorcellerie : par l'attaque sorcière, la victime est mangée.

Commentaire

Ce conte aussi a pour thème la 'dévoration familiale', mais cette fois l'agresseur est la grand-mère. Le dénouement montre le face à face de la belle-mère et du gendre. (Chez les Bambara-Malinké, comme dans d'autres sociétés africaines, la relation entre belle-mère et gendre est caractérisée par l'évitement ; le gendre éprouve de la honte devant la mère de sa femme). Cette dernière, est incapable de demander des comptes à sa mère et laisse la charge de la confrontation à son mari. Mari et femme sont unis par le souci qu'ils se font à juste titre à propos de leur progéniture. Pour ce qui est du sens de cet « appétit » de la grand-mère, faute de disposer de plusieurs versions nous ne pouvons pas avancer une interprétation fiable. (Cf. l'étude déjà citée, de G. Calame-Griaule sur le cannibalisme familial).

LA FILLE TERRIBLE

Petit conte, petit conte.
Il y avait une fille qui se nommait Namaramatou.
Sa mère lui demanda d'aller chercher son père.
Celui-ci s'appelait Nonsi.
Elle alla lui dire : « Papa, viens manger.
— *Fanhan* ! répondit-il.
— Viens manger.
— *Fanhan* ! »
Elle s'en retourna dire à sa mère qu'elle avait appelé son père,
et qu'il avait répondu « *Fanhan.* »
Elle ajouta : « Si maintenant je repars l'appeler
si je l'appelle 'Père' et qu'il me réponde '*Fanhan*',
je le frapperai. »
Elle repartit : « Papa, viens manger.
— *Fanhan* ! répondit-il encore.
— Viens manger !
— *Fanhan* ! »
Elle courut encore répéter tout à sa mère,
puis elle aiguisa son couteau
en disant : « Si mon père répète '*Fanhan*',
je lui couperai la tête. »
Elle répéta donc : « Papa, viens manger.
— *Fanhan* !
— Papa, viens manger !
— *Fanhan* ! »
Alors elle coupa la tête de son père.
Comme sa mère lui dit qu'elle la dénoncerait,
Namaramatou lui coupa un sein et s'enfuit en courant.
Sur son chemin, elle rencontra un aveugle,

elle prit son bâton et le jeta dans un puits.

Elle partit encore et rencontra un Peul.

« Peul, je garderai tes vaches » proposa-t-elle.

Elle garda les vaches du Peul.

Le Peul s'endormit.

Alors elle arracha les yeux des vaches, les fit cuire,
puis elle retourna auprès du Peul :

« Peul, ne vois-tu pas ces pois de terre hindous ?

— Des pois de terre hindous !

— Nous mangeons des pois hindous aujourd'hui ! »

Ainsi le Peul mangea les yeux de ses vaches.

Quand il eut fini son repas,
il vit les vaches se cognant les unes aux autres.

Il chassa alors Namaramatou, il la chassa.

Namaramatou entre chez un forgeron :

« Ne vois-tu pas que ce Peul me poursuit ?

Je serai ton apprentie et je m'occuperai de tes affaires.

Ne vois-tu pas que ce Peul me poursuit ? »

Le forgeron cria : « Que le Peul vienne donc ici,
je vais rougir un fer
pour le lui enfoncer dans le corps. »

Alors le Peul s'enfuit.

La fille proposa au forgeron :

« Tu peux te reposer maintenant.

— D'accord. »

Le forgeron se coucha, laissant ses testicules à découvert.

La fille rougit un fer, le rougit, le rougit,
et l'enfonça dans les testicules du forgeron.

Le forgeron la chassa, il la pourchassa, et chanta :

> *Namaramatou, hé Namaramatou, c'est ton nom !*
> *Couper un sein à ta mère, c'est toi Namaramatou !*
> *Jeter le bâton de l'aveugle, c'est toi Namaramatou !*
> *Couper les testicules du forgeron, c'est toi Namaramatou !*
> *Namaramatou hé, Namaramatou, c'est toi Namaramatou ! »*

Elle s'en fut chez un villageois.

Celui-ci lui dit : « Il y a un oiseau par-là,

toutes les nuits, il vient et chante :

> *La nuit ne tombe pas, le jour ne se lève pas.*

Elle s'étonna : « Que dit-il ?
La nuit ne tombe pas, le jour ne se lève pas ?
Nous verrons bien... »
Et elle se coucha.
Le grand oiseau s'approcha, il avait six têtes,
Namaramatou, elle, avait sept têtes.
Le grand oiseau chanta :

> *Au village où est le grand oiseau,*
> *la nuit ne tombe pas, le jour ne se lève pas !*

Namaramatou répliqua :

> *Wiyan wiyan wiyan !*

Le grand oiseau se posa sur la porte
en faisant *waaah* ! Il creva le mur et se posa.
Il reprit :

> *Au village où est le grand oiseau,*
> *la nuit ne tombe pas, le jour ne se lève pas !*
> *Wiyan, wiyan, wiyan !*

Il se dirigea sur Namaramatou et s'assit près d'elle et répéta :

> *Au village où est le grand oiseau,*
> *la nuit ne tombe pas, le jour ne se lève pas,*
> *Wiyan, wiyan, wiyan.*

L'oiseau coupa une tête à Namaramatou.
Namaramatou lui trancha aussi une tête.
Il coupa une tête à Namaramatou.
Namaramatou lui trancha une tête.
Il coupa une tête à Namaramatou.
Namaramatou lui trancha une tête.
Il coupa une tête à Namaramatou.
Namaramatou lui trancha une tête.
Il restait trois têtes à Namaramatou.
Il restait deux têtes au grand oiseau.
Celui-ci chanta encore :

> *Au village où est le grand oiseau,*
> *la nuit ne tombe pas, le jour ne se lève pas !*

Namaramatou répliqua :

Wiyan, wiyan, wiyan !
Au village où le grand oiseau,
la nuit ne tombe pas, le jour ne se lève pas !
Wiyan, wiyan, wiyan.

Il coupa une tête à Namaramatou.
Namaramatou lui en trancha une.
Il restait deux têtes à Namaramatou,
une seule à l'oiseau.
Il reprit :

Au village où est le grand oiseau,
la nuit ne tombe pas, le jour ne se lève pas !
Wiyan, wiyan, wiyan.

Il coupa une tête à Namaramatou.
Namaramatou lui trancha la sienne.
Elle tua le grand oiseau.
Namaramatou n'avait plus qu'une tête.
Le jour se leva.
On demanda : « Qui a tué le grand oiseau ? »
Tout le monde se rassembla
et cria : « C'est Namaramatou ! »
Mais Namaramatou s'enfuit en courant,
elle partit pour toujours.

J'ai laissé le petit conte, là où je l'ai trouvé.

Commentaire

Le conte de l'enfant terrible est très populaire en milieu bambara-malinké. Toutefois le récit publié ici est unique au sens où c'est le seul cas où « l'enfant, qui gâte les choses » soit une fille. « L'enfant terrible » (ou son substitut féminin) ne ressemble pas aux autres protagonistes malfaiteurs. La dimension métaphysique de ce personnage hors du commun se révèle par une série de monstruosités incongrues, par la déviance affichée. Les

versions bambara-malinké du récit permettent d'esquisser un rappro-
chement entre la démarche au premier abord insensé du héros et celle de
la quête initiatique. Plusieurs versions bambara et malinké du conte ont
un dénouement qui renforce son importance mythico-religieux : l'enfant
terrible et son aîné (dans la majorité de versions nous avons un couple de
protagonistes) quittent la Terre et se transforment en tonnerre et en éclair.
(Pour plus de détails, cf. l'ouvrage collectif de Görög, Platiel, Rey-Hulman,
Seydou, 1980)

LES BAMBARA — LES MALINKÉ

Les Bambara

Les Bambara, qui comptent environ deux millions de personnes, vivent au Mali en symbiose avec d'autres peuples du Soudan occidental, sur les cours supérieurs du Niger et du Sénégal. Ils sont groupés principalement autour de Bamako, Ségou et Bougouni.

Le haut Niger parcourt une région de savane, bordée au sud par le massif du Fouta-Djallon et la dorsale guinéenne, elle est inondée, pendant la crue annuelle d'août à janvier, sur une largeur qui atteint parfois 150 km. L'année se divise en deux : la saison sèche et la saison des pluies ; les précipitations atteignent leur maximum en août. La terre est aride et le climat est dur.

Le rôle historique des Bambara fut important depuis l'invasion, au XVIIe siècle, des Peul du Macina qui leur imposèrent leur suzeraineté. Ils étaient conduits par deux frères légendaires, Baramangolo et Niangolo, qui formèrent chacun un royaume : celui de Ségou sur le Niger et celui du Kaarta plus à l'ouest. Ces royaumes Bambara furent détruits au XIXe siècle par les Toucouleurs.

Pour les Bambara, l'agriculture est le seul travail noble, et l'accord est unanime sur leur habileté à tirer le meilleur parti d'une terre rétive. La préparation des sols et les semailles doivent être faites rapidement, au au début de la saison des pluies ; le défrichage est pratiqué au feu, puis le brûlis est travaillé à la houe : lorsque la terre est épuisée, elle est laissée en jachère ; on la cultive ainsi autour du village selon une lente rotation. Parfois, des espèces différentes sont associées afin d'utiliser toutes les possibilités du sol. Millet, riz, ignames et bananes sont les cultures principales. Les surplus sont cédés aux Peul en échange de bovidés. Le cheval est signe de richesse. Le coton est cultivé, filé par les femmes et tissé par les hommes qui en font des vêtements.

La cellule sociale est le patri-lignage, groupant les hommes qui se reconnaissent un ancêtre commun, leurs épouses et leurs enfants. Chaque famille élémentaire vit dans une case. L'ensemble des habitations d'un même lignage est entouré d'une clôture et soumis à la juridiction du *Fa*, désigné par un conseil de vieillards. Le mariage est interdit à l'intérieur du lignage, mais recommandé avec un membre du lignage de la mère : c'est, en fait, le mode d'alliance le plus usité entre les groupes de parenté, qui adoptent parfois la coutume d'échanger des femmes. Les *Fa* obéissent au chef du village, héritier du fondateur, maître de la terre, juge, organisateur du culte et des initiations. Car, en plus des liens de descendance commune, les Bambara sont unis en des classes d'âge ; en effet, depuis l'enfance jusqu'à la circoncision qui marque son entrée dans le monde des adultes, le jeune garçon passe par des stades successifs de sociétés qui complètent son éducation, en lui révélant peu à peu les principes de la philosophie bambara. Les garçons initiés ensemble sont unis pour la vie ; ils se secourent mutuellement, et surtout ils organisent le travail agricole de façon que chacun reçoive de l'aide sans perdre de temps. Les femmes ont une organisation parallèle qui facilite les semailles, la rentrée des récoltes et les travaux domestiques.

L'autorité politique et rituelle est exercée, sur tous les Bambara, par le *Fama*, héritier de la famille la plus puissante. Son pouvoir sur les hommes et sur les biens est absolu. Représentant tous les ancêtres, c'est lui qui dispense la vie. Sa parole est une force telle que, par prudence, il chuchote ses ordres à l'oreille d'un forgeron, qui les répète à haute voix. Il prélève l'impôt, rend la justice, déclare les guerres, noue les alliances, entretient l'armée de cavaliers. Mais il ne prend aucune décision sans consulter les notables et les délégués de chaque village.

Toute propriété est communautaire. Le premier occupant est maître de la terre, dont il distribue des parts aux chefs des familles élémentaires. De même, le patrimoine lignager est administré par le *Fa*. Les opérations agricoles sont décidées par le maître de la terre qui distribue les tâches par classe d'âge. Toutefois, chacun a le droit d'avoir un petit champ personnel et de le cultiver en surplus.

Ceux qui ne travaillent pas la terre, les artisans, sont méprisés et forment des castes endogames : forgerons dont les femmes sont potières, ouvriers du cuivre, du cuir, du bois, chasseurs, pêcheurs, griots. Les forgerons sont les plus puissants à cause de leurs fonctions accessoires : prêtres, circonciseurs, bourreaux, fossoyeurs, puisatiers, sculpteurs.

La sculpture bambara est rituelle. C'est pourquoi, seuls les forgerons, intermédiaires habituels entre l'homme et le sacré, ont le droit de tailler les masques, éléments essentiels des manifestations des sociétés initiatiques. A chacune d'elles correspondent des symboles que le masque représente de façon stylisée. Ainsi, le *N'domo* enseigne ce qu'est l'homme idéal, et son masque est une face humaine. Le *Komo* poursuit la connaissance, symbolisée par une hyène. Le *Tyiwara* est une association d'agriculteurs qui célèbrent, juste avant la saison des pluies, une danse rituelle de fécondité, rappelant le héros inventeur de l'agriculture ; le masque de cette société est le plus connu de tous : il porte en cimier l'antilope, symbole du soleil et de la terre. Chaque masque suggère un thème principal, et évoque, par association, d'autres idées. Il est parole douée de volume, signification devenant pensée plastique.

Le danseur masqué joue un rôle dans le théâtre sacré dont le but est, d'après Dominique Zahan, la libération de l'homme et son union avec la divinité. Nous devons à cet ethnologue de brillants exposés sur la pensée bambara, qu'il a choisi d'étudier comme elle est présentée aux Bambara eux-mêmes, dans les sociétés d'initiation qui ont pour fonction de la faire connaître aux jeunes, progressivement et de façon imagés. Les mythes n'ont pas une valeur de vérité absolue : ils ne sont que des moyens d'évoquer une réalité intérieure et vécue, tout en la cachant aux non-initiés. Pour les Bambara, l'univers n'a de sens que par l'homme. Mais celui-ci ne croît pas spontanément comme les plantes et les animaux. Il faut lui apprendre son origine, sa nature, la façon dont il doit mener son existence pour atteindre sa fin, qui est l'union mystique avec Dieu. Les six sociétés d'initiations par lesquelles chacun doit passer pour se prévaloir d'une éducation accomplie, coopèrent à la libération de l'homme, chacune d'elles se spécialisant dans la découverte d'un des aspects de la destinée humaine. Comme toutes les mystiques, celle-ci n'atteint son but qu'après des épreuves corporelles pénibles, une mort fictive et une renaissance. La joie de l'homme libéré et uni à l'esprit transcendant s'exprime en des danses, lascives seulement pour ceux qui n'en comprennent pas le sens profond ; l'extase est comparée à la jouissance sexuelle, comme dans bien d'autres cultures. Plusieurs auteurs ont remarqué la similitude de la pensée bambara avec celle de la Grèce antique, spécialement avec la philosophie stoïcienne du IIIe siècle avant notre ère. Il est permis d'y voir aussi des analogies avec la Bible, surtout dans les idées concernant la parole ou le verbe : la parole est aussi longue que l'humanité, et l'homme étant l'expression éminente du monde, verbe et univers s'identifient. Il importe peu de savoir s'il s'agit d'antiques diffusions de sagesse, ou d'inventions indépendantes. Mais on ne saurait trop insister sur le fait que les Bambara ont couronné leur modeste culture matérielle d'une solide superstructure morale et intellectuelle, portant son effort principal sur l'éducation et enrichie d'observations sur l'homme et sur la nature.

N'ayant pas de support écrit, leur pensée repose sur des objets concrets, sur des rites que chacun répète pour franchir les étapes de la vie et la développer selon une éthique bien construite. Cette vision et cette pratique les aident, en retour, à accomplir les travaux quotidiens de leur vie. Leur art tend à suggérer le sacré et à inspirer la joie qui naît du dépassement d'une vie uniquement vouée aux préoccupations matérielles. »
(Article de J. MAQUET dans : Encyclopédia Universalis - France S.A. 1968, vol. II, pp. 1058-1059).

Les Malinké

Les Malinkés s'appellent eux-mêmes Maninkaalu. Ils habitent dans l'actuelle Sous-Préfecture de Bandafassi, au Sénégal oriental, non loin des frontières du Mali et de la Guinée. Ils font partie du grand ensemble manding de l'Afrique de l'Ouest. Au Sénégal, ils ont comme voisins immédiats d'autres Malinkés, ceux du Badon, du Tenda-Gamon, du Wouli, du Dantila et du Sirimana. Leur propre territoire s'appelle traditionnellement le Niokholo, territoire qu'ils partagent dans certains villages avec des Bediks.

De leur histoire, nous savons relativement peu de choses. Ils auraient, selon leurs propres traditions orales, quitté autrefois une région qui porte le nom de Màndin, sans doute après la chute de l'Empire du Mali et sa division en petits royaumes. Ils seraient venus dans la région actuelle entre le XVIe et le XVIIe siècle. C'est le clan des Sadiakhou qui serait venu le premier, suivi de celui des Camara et enfin de celui des Keita[1]. L'événement historique, qui reste gravé dans la mémoire, est la lutte contre les envahisseurs Peuls du Fouta-Diallon, vers la fin du siècle dernier.

Aujourd'hui, les Malinkés habitent une vingtaine de petits villages, répartis entre les collines du Niokholo et le long du fleuve Gambie. Les plus gros villages ne dépassent pas le chiffre de 250 habitants. Ce qui fait l'unité de ces villages c'est l'appartenance à une même culture et le respect des mêmes coutumes ; c'est aussi le fait de parler une même langue, langue qui a des caractéristiques qui la distinguent des autres parlers malinké de la région.

1. Pour plus de détails, voir AUBERT A. *Légendes historiques et traditions orales recueillies dans la Haute-Gambie.* Bull. Com. Et. Hist. et Sc. d'AOF, 1923, pp. 384-428.

Il semblerait qu'il n'y ait jamais eu d'unité politique plus vaste que le village et son terroir. La tradition orale parle certes du village, actuellement abandonné, de Djikoye comme ayant été le centre politique du Niokholo. En réalité, ce village était surtout formé par des clans Keita et n'exerçait sa suprématie que sur les clans Keita répartis dans d'autres villages. Agriculteurs et chasseurs, les Malinkés n'ont pas connu de structure politique régionale. Les villages restent reliés entre eux par les alliances matrimoniales et la participation aux grands travaux collectifs dans les champs. Les fêtes, les coutumes et les initiations resserrent également les liens entre les villages.

Chaque village connaît à sa tête un chef *(dûxutixi)* officiant lors des grands rites annuels, il est aussi l'intermédiaire entre le village et les étrangers, il représente son village dans les structures économiques et politiques de l'Etat Sénégalais ; il doit, en outre, veiller au bien-être des habitants dont il a la charge ; il exerce également un rôle d'arbitre dans les conflits entre les gens. Dans la vie courante, il partage son autorité avec les chefs de famille *(luutixi)* et la classe d'âge des anciens du village (suukeebaa). Pour tout ce qui a trait aux grandes fêtes, à la vie coutumière et à l'organisation sociale du village, il ne fait rien sans l'avis de la classe d'âge des « maîtres de la place publique » *(bantabaatixi)*, classe qui rassemble les hommes adultes. D'ailleurs, toute la société malinké est structurée en classes d'âge : chacun, homme ou femme, est solidaire de ses camarades du même âge, de l'enfance à la mort. La classe d'âge situe chaque individu dans un réseau de droits et de devoirs qui règlent la vie sociale.

Le village est formé par un ensemble de maison (luu) où réside la famille étendue. Chaque maison est désignée par un nom qui lui vient des parents fondateurs : ce nom peut évoquer le premier chef de famille, ainsi « chez les gens de Nyama » *(ñamakundaa)* ; il peut évoquer l'emplacement de la maison, comme « sous le néré » *(nètekoto)*, ou sa situation dans le village, comme « en haut du village » *(santosuu)* ou « en bas du village » *(dùxumaasuu)*.

Cette organisation sociale apparaît, de la façon la plus évidente, lors des rassemblements pour les fêtes traditionnelles, où chaque classe d'âge exerce une fonction précise, et lors des rites d'initiation *(ñaxabaa)* qui ont lieu tous les trois ou quatre ans.

Normalement et le plus souvent, les jeunes filles sont mariées dès la fin des rites d'initiation tandis que les jeunes gens attendent encore quelques années.

Le mariage est un parcours qui comporte plusieurs démarches matrimoniales entre les deux familles concernées, depuis l'envoi des noix de
cola aux futurs beaux-parents du garçon jusqu'au rite où la jeune fille
est conduite dans la maison de son mari. Pour obtenir une épouse, le
jeune homme doit verser une compensation matrimoniale *(nàafulu)* dont
la valeur, constituée en bétail et en argent, est relativement élevée. La
femme va habiter dans la maison de son mari et les enfants prennent le
nom du lignage paternel. La polygynie se pratique, mais le nombre
d'épouses dépasse rarement le chiffre de deux. Il y a, d'autre part, mariage
préférentiel avec la fille de l'oncle maternel *(barin)*. Le lévirat se pratique
également.

Chaque enfant malinké reçoit un nom *(toxo)* lors d'une cérémonie qui a
lieu sept jours après la naissance. Les noms personnels sont porteurs
de significations et évoquent des circonstances de la naissance ; ainsi on
donnera un nom particulier aux enfants nés lors des grandes fêtes, à ceux
qui naissent après des jumeaux ou après des aînés décédés. L'enfant porte
aussi le nom de son lignage paternel *(jàmun)*. Ces noms de lignage sont
d'un nombre réduit : ce sont principalement Camara, Sadiakhou et Keita.

Les classifications sociales, que l'on retrouve par ailleurs en Afrique de
l'Ouest, sont aussi connues des Malinkés du Niokholo : la société est
constituée de « nobles » *(foro)*, de gens de caste *(ñàmaxala)* et de captifs
(jòn). Mais les différences entre ces trois catégories ne sont pas très grandes
et les intermariages sont possibles. Les gens de caste, comme les griots,
les forgerons et les cordonniers, exercent surtout une fonction d'intermédiaires entre les lignages et de porte-parole lors des grandes assemblées
villageoises. Les griots *(jàli)* sont peu nombreux et les tisserands *(gésedaa-
laa)* ne sont pas des gens de caste, comme chez les Toucouleurs voisins.

S'ils étaient autrefois chasseurs autant qu'agriculteurs, les Malinkés s'adon-
nent de nos jours à l'agriculture pendant la saison des pluies. Tous les
travaux des champs se font pratiquement avec les instruments tradition-
nels, telles la petite houe *(dàba)*, la hache, la faucille ; mais la culture
attelée commence à faire son apparition. Cette agriculture est avant tout
communautaire ; elle se pratique de manière collective, au niveau d'une
maison, de plusieurs maisons, d'une classe d'âge, au niveau d'un village
même. Un travail collectif *(baara)* peut rassembler entre vingt et une
centaine de personnes.

Chaque village a aussi son troupeau de vaches, de moutons et de chèvres.
Utilisés rarement pour la consommation de viande ou pour des travaux,

ces animaux constituent les victimes des rites sacrificiels et forment la base des prestations matrimoniales.

Les Malinkés, continuent à pratiquer la religion traditionnelle, le chemin des ancêtres. Ils croient en Dieu *(Alla)*, le Maître *(Màarixi)*, le Roi Créateur *(Daamansa)*, le Roi de pitié *(Kinikinimansa)*. Les cultes s'adressent à Dieu mais aussi aux ancêtres *(fùree)*, dont la présence est symbolisée par des pierres *(fùreekuru)*. Les démarches religieuses principales sont les sacrifices *(sàadaxa)* avec immolation d'animaux domestiques ou avec libation de bouillie de mil et les bénédictions *(duxa)* prononcées à tous les moments importants de l'existence individuelle et collective. Une autre démarche religieuse importante est celle du *jàlan,* rite de protection contre les responsables du malheur, tels les sorciers *(suubaxa)* et les ennemis *(jàxu),* rite aussi de maintien des forces de la vie au village comme en brousse. Il existe un grand jàlan pour la saison des pluies, invoqué lors de la fête de la dégustation du mil *(ñòonene)* et un grand jàlan pour la saison sèche invoqué après la récolte du mil *(kìiratambajalan)*. Ces démarches religieuses commencent souvent par des séances de divination *(jùubeeri)* ou d'interprétation de rêves.

Isolée géographiquement du reste du Sénégal, cette société malinké a résisté à la tentative d'islamisation menée par les Peuls vers la fin du XIXe siècle, de même qu'elle a été peu perméable à l'influence de la colonisation française. Elle a su garder jalousement jusqu'à nos jours sa manière de vivre, ses coutumes, ses rites et ses fêtes. (G. Meyer)

BIBLIOGRAPHIE DES OUVRAGES CITÉS

BALANDIER, Georges
1974   *Anthropo-logiques*, Paris, Presses Universitaires de France.

BEIDELMAN, Thomas O.
1972   « The Filth of Incest : a Text and Comments on Kaguru Notions of Sexuality, Alimentation and Agression », *Cahiers d'Etudes Africaines*, 45, 2, pp. 164-173.

CALAME-GRIAULE, Geneviève
1965   *Ethnologie et langage. La parole chez les Dogons*, Paris, Gallimard.

1987   *Des cauris au marché. Essais sur des contes africains*, Paris, Société des Africanistes.

CAMARA, Sory
1978   *Paroles de nuit ou l'univers imaginaire des relations familiales chez les Mandenka*. Thèse de Doctorat d'Etat, Paris, Université de Paris V.

DIABATÉ, Massa M.
1970   *Janjon et autres chants populaires du Mali*, Paris, Présence Africaine.

DIARRA, Tieman
1984   *Initiation, éducation et société. Les initiations de l'enfance à l'adolescence en pays bamanan de Bélédugu. Mali*. Thèse de III cycle, Paris, EHESS.

DIETERLEN, Germaine
1950   *Essai sur la religion bambara*, Paris, PUF.

EQUILBECQ, François-Victor
1972   *Contes populaires d'Afrique Occidentale*, Paris, Maisonneuve et Larose.

ESCHLIMANN, Jean-Paul
1979   « Quand on te donne un mari, ne le refuse pas », *Cahiers d'Etudes Africaines*, 19, 1-4, 1979, pp. 517-548.

FINNEGAN, Ruth
1967   *Limba Stories and Story-Telling*, Oxford, Clarendon Press.

GÖRÖG-KARADY, Veronika
1970   « L'arbre justicier » In *Le thème de l'arbre dans les contes africains*, vol. II. Ed. G. Calame-Griaule pp. 23-62.

1974   *Contes bambara du Mali et du Sénégal Oriental*, Paris, CNRS et Séminaire des Missions. Avec G. Meyer.

1979   *Contes bambara du Mali*, II vol. Paris, Publication orientaliste de France. En collaboration avec A. Diarra.

1980   a) « Les deux filles. Texte commenté bilingue ». In *Recueil de littérature Manding*, Paris, AGECOP, pp. 18-33.
       b) « Les enfants terribles mande ». In Görög V., Platiel, S., Rey-Hulman, D., Seydou, C. *Histoires d'enfants terribles*, Paris, Maisonneuve et Larose. Préface de G. Calame-Griaule.

       « Conte et identité sociale. A propos de trois récits bambara », *Cahiers de Littérature Orale*, nᵒ 14, pp. 151-172.

1984   *L'enfant rusé et autres contes bambara*, Paris, CILF.
        Avec G. Meyer.

1985   « Conte et mariage. A propos de quelques récits
        bambara-malinké », *Research in African Litératures*
        16, 2, pp. 349-369.

à paraître « Liens de sang, liens d'alliance. La relation frère
        sœur dans quelques contes bambara-malinké » In
        Grains de parole, Volume d'hommage pour Ge-
        neviève Calame-Griaule.

à paraître « Parole sociale et parole de l'imaginaire. Identité
        féminine et ambivalence dans la littérature orale
        bambara-malinké », In *Le conte. La tradition orale
        régionale*, Actes des rencontres de Lyon 27-28-
        29 novembre 1986, Carcassone, Edition GARAE.

GUILLOT, René
    1933   *Contes d'Afrique*, Gorée, Imprimerie du gouver-
            nement général.

HULSTAERT, G.
    1965   *Contes mongo*, Bruxelles, Académie Royale des
            Sciences d'Outre-Mer.

LALLEMAND, Suzanne
    1985   *L'apprentissage de la sexualité dans les contes
            d'Afrique de l'Ouest*, Paris, Harmattan.

LÉVI-STRAUSS, Claude
    1973   *Anthropologie structurale II*, Paris, Plon.

LUNEAU, René
    1974   *Les chemins de la noce.* Thèse de Doctorat d'Etat,
            Paris, Université René Descartes.

    1981   *Chants de femmes au Mali*, Paris, Luneau Ascots.

MABENDY, Georges
    1966   « Devinettes recueillies au Mali », *Notes Africaines*,
            112, pp. 133-135.

MEYER, Gérard

1976 *Ce n'est pas aujourd'hui que le monde a été créé...* Kédougou (Sénégal) Mission catholique. multigr. (avec Pierre Deglaire).

1978 *Devinettes bambara*, Paris, l'Harmattan.

1980 *A l'ombre des grands fromagers. Proverbes malinké.* Kédougou (Sénégal). Mission catholique. multigr.

1985 *Proverbe malinké*, Paris, CILF.

1987 *Contes du pays malinké*, Paris, Karthala.

MONTEIL, Charles

1924 *Les Bambara de Ségou et du Kharta*, Paris, E. Larose, 1924.

PAULME, Denise

1976 *La mère dévorante. Essai sur la morphologie des contes africains*, Paris, Gallimard.

RICHEUX-PALIER, Béatrix

1975 La femme dans le conte bambara, Paris, multigr.

ROBERT, Marthe

1967 *Sur le papier, Essais*, Paris, Grasset, 1967.

SIDIBÉ, Mamby

1982 *Contes populaires du Mali*, II vol. Paris, Présence Africaine.

THOYER, Annik

1982 *Contes bambara du Mali*, Paris, multigr.

TRAVELE, Moussa

1923 *Proverbes et contes bambara*, Paris, Geuthner.

TABLE DES MATIÈRES

Dépôt légal 1988 - 2e trimestre
Imprimerie **BOUDIN** - Paris